BANCO INTERAMERICANO DE DESARROLLO • PLANETA

LA ECONOMÍA POLÍTICA DE LO POSIBLE EN AMÉRICA LATINA

JAVIER SANTISO

Washington, D.C.

Las opiniones expresadas en este libro pertenecen a los autores y no necesariamente reflejan los puntos de vista del Banco Interamericano de Desarrollo (BID) o del Instituto Internacional para la Democracia y la Asistencia Electoral.

Cataloging-in-Publication data provided by the
Inter-American Development Bank
Felipe Herrera Library

Santiso, Javier.

La economía política de lo posible en América Latina / Javier Santiso.

Includes bibliographical references.

Primera edición: noviembre de 2006
ISBN: 1-59782-027-X

1. Latin America Economic policy. 2. Latin America Economic conditions (1985). I. Inter-American Development Bank. II. Title.

330.9 S387--dc22

Editorial Planeta Mexicana, S.A. de C.V.
Avenida Insurgentes Sur No. 1898, piso 11
Colonia Florida, 01030 México, D.F.
Tel. (52 55) 53 22 36 10

Elaborado para:
© 2006, Banco Interamericano de Desarrollo
1300 New York Avenue, N.W.
Washington, D.C. 20577
Estados Unidos de América
Tel.: (202) 623-1753; Fax: (202) 623-1709

La Oficina de Relaciones Externas del BID se encargó de la producción editorial de la publicación, bajo la coordinación de Gerardo Giannoni.
La corrección de textos estuvo a cargo de Claudia Pasquetti.
Del diseño de portada se ocupó Cinthya Cuba, mientras que el diseño gráfico y la composición tipográfica estuvieron a cargo de Sandra Reinecke.
Imagen de portada: Serie Raíces, Número. 2, 2004, por Enrique Sánchez, Nacido en Cali, Colombia, (1947) óleo sobre lienzo 121,92 cm x 91,44 cm
Colección de Arte del BID

"Nos quedamos con las manos vacías.
Entonces, las puertas de la percepción
se entreabren y aparece el otro tiempo,
el verdadero, el que buscábamos sin saberlo:
el presente, la presencia."
Octavio Paz.

Índice

INTRODUCCIÓN
El vals de los paradigmas

Una de las primeras representaciones iconográficas del Nuevo Mundo se halla en los sótanos de un museo de Europa, en el vientre del Prado. Se trata de un árbol imaginado hace quinientos años por El Bosco. Este árbol, que evocaba, a los ojos del pintor, las tierras descubiertas por un desconocido llamado Colón, aparece en su famoso tríptico *El jardín de las delicias*, en la tabla que representa la creación del Paraíso: desde el principio, las Américas fueron identificadas con el Paraíso terrenal. Por ende, para Occidente, el nuevo continente se perfiló como una utopía donde todo sigue siendo maravillosamente posible.

Esta búsqueda de la utopía es una constante en la historia de las Américas. El resultado no estuvo, sin embargo, a la altura de las esperanzas. La Edad de Oro se transformó en Edad de Acero, y la eterna primavera en larga temporada en el infierno. Este fracaso en la búsqueda de la utopía en el espacio americano podría ser resumido con la historia urbana del continente, historia frustrada del descubrimiento de tierras prometidas y villas radiantes. Estas últimas —por ejemplo, las ciudades brasileñas de Belo Horizonte y Porto Alegre, ciudades con nombres colmados de promesas— se han transformado, hoy en día, en inmensas urbes tentaculares. Constituyen otras tantas declaraciones de utopías imposibles, monstruosamente desviadas, paraísos convertidos en infiernos, como Acapulco, rebautizado *Kafkapulco* por Carlos Fuentes. Este deseo de utopía, esa búsqueda de un mundo mejor dejará rápidamente de ser espacial para pasar a ser principalmente temporal. La historia del continente se desarrolla a partir de entonces como una serie de tentativas, abortadas y continuamente retomadas, de alcanzar un mañana mejor.

Esta búsqueda también ha impregnado la historia de las políticas económicas latinoamericanas. Desde la independencia, una de las obsesiones más persistentes de América fue depender de un milagro: el milagro forjado por los magos marxistas o liberales, revolucionarios y contrarrevolucionarios, sobre no pocas grandes teorías y paradigmas. Todos —Marx Brothers y Chicago Boys a la cabeza— proclamaron grandes principios, ofreciéndoles a sus dioses monistas, en sacrificio, las realidades sociales de su país. En el siglo XX, de México a Chile, de Cuba a Nicaragua, toda la región fue presa de realismos mágicos, de una fiebre de *modelos armados* —a veces de modo violento— y descargados sobre la sociedad, proyectados en la realidad misma y, al poco tiempo, desechados de nuevo y cambiados por otros más relucientes. Del estructuralismo al monetarismo, del marxismo al liberalismo, todo el continente bailó un vals de paradigmas interminable, aclimatando a los trópicos las lecciones y los consensos venidos del norte. El famoso decálogo del *Consenso de Washington*, que enumeraba, a principios de los noventa, los diez mandamientos de las reformas económicas que debían acometerse para salir del subdesarrollo, sólo fue, finalmente, una variante más de este vals sin fin. Tampoco este injerto arraigó, a semejanza de tantos otros, rechazado a veces dolorosamente por un continente que no cesa de cicatrizar las heridas de sus intervenciones quirúrgicas macroeconómicas.

No obstante, a lo largo de las últimas décadas parece venir esbozándose en América Latina una gran transformación, más sutil —y también más frágil— que un simple injerto de paradigmas. Como lo muestra el gráfico siguiente, que mide en una escala de 0 a 1 el esfuerzo reformador (1 corresponde al máximo de reformas), las economías de la región han impulsado uno de los más notables procesos de reformas de su historia contemporánea, paralelamente a una transición democrática generalizada. Aunque incompleto e imperfecto, este doble movimiento sincronizado de reformas económicas y transiciones democráticas no deja de ser llamativo.

América Latina a fin de siglo: un esfuerzo reformador sin precedentes

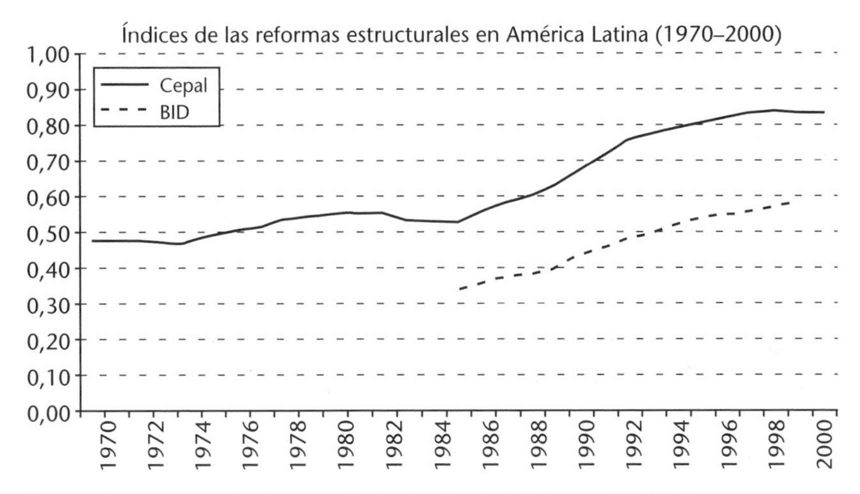

Fuente: Elaborado según datos de Carlos Santiso, la CEPAL y el BID, 2005.

En gran medida, ese vuelco político y económico ha estado acompañado de un cambio epistémico. Las políticas económicas puestas en práctica son reflejo de un enfoque más pragmático, una economía política de lo posible. La historia de las Américas parece haberse bifurcado en algún momento hacia finales del siglo pasado. Es cierto que perdura la búsqueda de la utopía. En algunos países, los gobernantes siguen soñando con fórmulas mágicas y exaltaciones líricas. Éstas se transforman en otros tantos realismos trágicos y en dolorosas caídas, como lo atestiguan las recientes experiencias de varios países de la región, arrasados por recesiones inéditas. Y cuando se empeñan en tomar atajos para evitar el largo y sinuoso camino de las reformas graduales, éstos desembocan en otros tantos callejones sin salida.

Sin embargo, otros países, como el Chile de Lagos y Bachelet o el Brasil de Lula, se esfuerzan, en cambio, por inventar no una tercera vía, sino simplemente un camino que les es propio, políticas económicas pragmáticas que combinan ortodoxias liberales y políticas sociales. En estos países, las reformas económicas no temen no fundirse en el molde de los paradigmas económicos. Sus ministros de Economía y los presidentes de sus bancos centrales adoptan un pragmatismo que contrasta con el espíritu de sus predecesores, a punto tal que podrían suscribir sin ruborizarse la acertada fórmula del filósofo norteamericano Richard Rorty, quien considera la teoría como "auxiliar de la práctica, en lugar de ver en la práctica el resultado de una degradación de la teoría". Así, las experiencias emprendidas por estas políticas económicas son esperanzadoras para un continente cansado de terapias de *shocks* y *contrashocks*, de ajustes y desajustes estructurales. En este comienzo de siglo, las trayectorias chilena, brasileña o mexicana (y uno podría añadir la colombiana o la uruguaya) dibujan el perfil de una gran transformación, inédita: el advenimiento silencioso de las políticas económicas de lo posible.

Al igual que todos los acontecimientos mundiales que se anuncian con bombos y platillos en los periódicos, puede ocurrir que este advenimiento dure tan sólo unas temporadas y que tanto ruido sea en vano. La experiencia chilena atestigua, no obstante, que esta transformación puede ser duradera. Desde hace ya dos décadas, este país borda con paciencia sus instituciones, por encima del bien y del mal de los regímenes políticos y de las modas económicas. En Chile, los impulsos de las élites políticas han sido moderados por el realismo de las élites económicas. El Brasil de Cardoso y Lula parece pisarle los talones a su vecino chileno con pragmatismo carioca. Ambos, Chile y Brasil, se inventan anclas de credibilidad endógena, instituciones y políticas económicas que los atan al mástil de las realidades sociales de sus respectivos países, no a las de papel brillante de los manuales de economía, sino a las bastante más reales de los países marcados por la pobreza y las desigualdades. Sus dirigentes saben que, antes o después, pueden caer en la tentación de zambullirse, sin pensarlo, en busca de las sirenas de las políticas de lo imposible: prudentes, se atan, a semejanza de Ulises, a los mástiles de instituciones fiscales y monetarias que ellos mismos han erigido. Más al norte, otro ejemplo, otra variante: México también se ha dotado de tales instituciones, firmemente amarrado a rigurosas políticas fiscales y monetarias. Empero, con respecto a sus primos del Cono Sur, tiene en su favor una enorme ventaja, traducida en un anclaje de credibilidad externa: el país no sólo se inventa sus propias instituciones de manera endógena, a semejanza de sus vecinos, sino que puede, además, ampliarlas al amparo del acuerdo firmado con Estados Unidos a mediados de los años noventa. El Tratado de Libre Comercio (TLC) actúa, así, como un poderoso imán de convergencias, tanto de variables nominales, tasas de inflación y tipos de interés, como de procesos institucionales (en 2005, de hecho, México terminó con una inflación históricamente baja e incluso inferior a la de su vecino).

Dos modalidades, dos variantes, dos estrategias de desarrollo se abren paso, pues, en el continente, y a veces incluso se combinan: una, con anclaje de credibilidad endógena, impulsada desde adentro; otra, con anclaje de credibilidad exógena, inspirada desde el exterior. Sin embargo, para muchos países del continente, el reto consiste en que no pueden contar con ese tipo de anclaje exógeno. Desde este punto de vista, México se considera, en razón de su destino geográfico, una excepción; para otros, el camino es más arduo. Tan sólo pueden contar con meros espaldarazos, un tratado de libre comercio por aquí, un acuerdo bilateral por allá, pero nada comparable al estrecho abrazo del que se ha venido beneficiando México desde 1994. Para aquéllos, la estrategia de anclaje de credibilidad endógena, la lenta fermentación de las instituciones, es el único camino posible. De Chile a Brasil, pero también de Costa Rica a Trinidad y Tobago, de Colombia a Uruguay, no faltan los ejemplos. Tampoco los contraejemplos, porque, tratándose de las Américas, el plural siempre es obligado. Otras trayectorias son más erráticas, como las de Argentina o Venezuela, las de Ecuador y Bolivia, que dan testimonio de la poderosa atracción que ejerce todavía en el continente el canto de las sirenas. Aquí y allá, los Buenos Revolucionarios (y los Buenos Liberales) de ayer vuelven a los pontones y empujan a los ricos galeones de economías otrora florecientes contra los arrecifes de las grandes ilusiones. En Cuba, el faro de una revolución siempre presente sigue proyectando sus luces y sombras hasta las costas de los vecinos venezolanos. Con más de cuarenta y cinco años en el poder, Fidel Castro hace gala de una longevidad política insolente, la más larga de un dirigente latinoamericano todavía en el poder. Ha resistido a casi una decena de administraciones republicanas y demócratas en Estados Unidos, y, al igual que el centenario patriarca de Macondo, parece reconocer como único límite temporal de su ejercicio del poder el final biológico.

Los saltos y sobresaltos de estos últimos años corroboran cuán obsesionado está aún el continente por la idea tenaz de un paradigma económico todopoderoso y por la búsqueda de una fórmula mágica que pueda librarlo de todos sus males. La gran transformación que se esboza desde hace algunas décadas no es, por lo tanto, más que una de las posibles lecturas del devenir de la región. Hoy, de nuevo, las Américas se hallan en una encrucijada. En 2006 y en adelante, cuando los latinoamericanos acudan a las urnas para elegir en numerosos países a sus presidentes, tendrán que escoger otra vez entre las políticas económicas de lo imposible y las de lo posible. Los ejemplos de Lula en Brasil y de Lagos y Bachelet en Chile acaso sirvan para dar inicio a nuevas economías políticas de lo posible en otros países. Buenos Revolucionarios y Buenos Liberales podrían, entonces, abandonar el escenario o, por el contrario, volver a avivar las brasas todavía candentes de las economías políticas de lo imposible. La historia de las Américas es como una jugada de dados: imprevisible y abierta a lo posible. La gran noticia que nos llega de estas latitudes reside, sin duda, en eso: emergen sociedades abiertas —parafraseando a Popper— tanto desde el punto de vista político como del económico, sociedades que otorgan un lugar preferente, además, a los vicios y a las virtudes de la democracia y del mercado.

Capítulo 1

Las utopías latinoamericanas: un despliegue de futuro

Antes de analizar las políticas económicas de lo posible puestas en práctica en América Latina durante los últimos decenios, se impone dar un paseo por la historia. Para comprender y medir la fuerza del utopismo en América Latina, conviene recordar el singular momento del "nacimiento" del continente. Éste fue descubierto, precisamente, en un momento en que las representaciones temporales y las visiones del mundo estaban transformándose radicalmente, en el preciso momento en que tomaba impulso en Occidente la idea de futuro.

Cuando Colón llegó a La Española, Europa experimentaba una profunda transformación de su visión del mundo. En Italia, arquitectos y pintores descubrían la perspectiva, es decir, la profundidad en el espacio. De Brunelleschi a Piero della Francesca, en todos los campos artísticos, el Quattrocento inventaba, en vísperas del descubrimiento de las Américas, la Ciudad Ideal, y con ella, la idea de la profundidad espacial. Paralelamente, el tiempo teleológico de la Edad Media se desmoronaba, los campanarios de las iglesias daban paso a las torres de los mercaderes y a los relojes de los príncipes. De ese modo, progresivamente, los clérigos compartían con el poder civil su facultad de dar la hora.

También en la península itálica, una obra, colmada de consejos para los príncipes, inventaba la perspectiva en política, la profundidad temporal en la vida de aquí abajo, mientras otros autores expresaban lo imposible, es decir, que la búsqueda del Paraíso y de un mundo mejor era posible aquí en la Tierra. Unos pocos años después del descubrimiento de América fueron publicadas, en efecto, obras decisivas que contribuyeron a modificar las visiones que Occidente tenía sobre el mundo y el tiempo. A lo largo de una misma década vieron la luz, sucesivamente, tres obras mayores, buenas y poderosas como espadas: el *Elogio de la locura*, de Erasmo, publicada en 1509; *El príncipe*, de Maquiavelo, finalizada en 1513, y la *Utopía*, de Tomás Moro, publicada en 1516. Las tres hicieron escala en el Nuevo Mundo. La primera de ellas tuvo su lugar, ya desde 1515, en la biblioteca de Hernando Colón, hijo del Almirante; la segunda fue traducida al castellano en 1552, veinte años después de la edición póstuma; y la tercera se convirtió en libro de cabecera de Vasco de Quiroga, obispo de Michoacán.

Fue este último libro el que se aclimató más rápidamente al Nuevo Mundo. En 1535, año en que Moro fue decapitado en Inglaterra por orden de Enrique VIII, Vasco de Quiroga comenzó a fundar sus hospicios en Santa Fe y en el Michoacán. Más tarde y más al sur, el ímpetu utópico dio inspiración a los jesuitas de Paraguay, pero también, en el siglo XIX, a aventureros franceses como Orélie-Antoine de Tounens, que en 1861 se autoproclamó rey de la Araucania, provincia chilena cuya epopeya fue cantada por el poeta Alonso de Ercilla. ¿Cómo no sorprenderse, además, de la buena acogida y del éxito que las ideas generosas de Moro tuvieron en el continente americano? ¿Acaso no puntualiza Moro que Hitloden, el navegante portugués que descubre la isla, no es sino un compañero de Américo Vespucio, sugiriendo así que Utopía, la isla imaginada por el escritor, no es otra que el propio Nuevo Mundo que se acaba de descubrir?

Sin embargo, el hechizo del espacio se convierte velozmente en hechizo del tiempo. La utopía latinoamericana no ha de buscarse en la geografía de las Américas, sino en su futuro. Si América Latina nace en el preciso momento en que se transforma la visión del mundo, lo hace, sobre todo, en el instante mismo en que se configura un nuevo equilibrio entre pasado, presente y futuro, un momento en el cual se transforman las representaciones del tiempo, pasando de una época teológica a una época teleológica. Nace y es partícipe, en efecto, de ese *momento maquiavélico* que se extiende entre 1494 y 1530, a lo largo del cual se reafirma la idea de que la historia está sometida al quehacer humano, que el futuro no es algo que se soporta como marca la Providencia, sino que se construye con la ayuda de la Fortuna, pero también por deseo de la *Virtud*, tanto en lo político como en lo económico.

Al salir de la Edad Media, al mismo tiempo que Maquiavelo inventa la perspectiva en política y la idea de profundidad temporal, de futuro, y otros contemporáneos inventan la perspectiva en pintura, la idea de profundidad espacial, se esboza la temporalidad de la historia evocada por el filósofo Koselleck. El futuro como expectativa del fin del mundo se va diluyendo para dar paso a una época abierta a lo por venir, una época en la que el hoy prepara el mañana y en la cual gobernar se transforma en prever y construir un futuro, en alterar y ordenar no sólo el espacio, sino también el tiempo. Autores como Jean Bodin comienzan, entonces, a disociar historia santa e historia humana, haciendo de la cuestión del fin de los tiempos un asunto de fechas, un problema de cálculo astronómico o matemático. En las cortes reales europeas, artistas como Velázquez dejan de pintar santos y Cristos para reflejar en sus obras a los nuevos dueños del mundo, en cuadros en los que se prolongan la invención de la perspectiva, los puntos de fuga y los juegos de espejos. Es el propio Bodin quien, en su libro *Six livres de la République,* evoca el Nuevo Mundo no como un espacio, sino como un tiempo por conquistar: "la utopía —escribe— no se halla en esa vasta geografía que son las Américas. Allí no hay ni El Dorado ni Edad de Oro. Lo que nos ofrece el Nuevo Mundo es un futuro".

En realidad, los discursos latinoamericanos, de Bolívar a Chávez, estarán fuertemente impregnados de esta dimensión teleológica, ubicando la Edad de Oro no en el pasado, sino en el futuro. En los albores del siglo XX, los europeos que llegan al Nuevo Mundo no son ya los conquistadores de otros tiempos, pero sigue animándolos la visión de América como tierra prometida, un continente que guarda la promesa de una vida y un futuro mejores. En el siglo XIX, un pícaro financiero escocés, Gregor McGregor, inventa incluso un territorio, *Poyais*, ubicado en el corazón de América, evocando tierras desbordantes de riquezas: una invención especulativa que acelerará el pulso financiero y hará soñar a toda la City londinense, desatando una de las primeras crisis financieras de la época moderna. Más tarde, la revolución mexicana, luego la cubana y también la nicaragüense serán otras tantas versiones de esta búsqueda de futuros resplandecientes y de una Edad de Oro siempre huidiza. Asimismo, aunque en un ámbito no tan trágico, los grandiosos proyectos de integraciones económicas a escala continental no dejarán de apuntar hacia un futuro que retrocede sin cesar, como un horizonte inalcanzable: el de la tierra prometida del crecimiento continuo y las desigualdades desterradas para siempre. Innumerables discursos revolucionarios, ya sea de inspiración marxista o monetarista, arraigarán en este terreno propicio. Se envolverán en suntuosas togas de sentimentalismo ético y de fuerte retórica emocional, contrastando la elocuencia de los principios con la falta de materializaciones.

Todo el continente atravesará el siglo XX impulsado por el viento de la búsqueda del ideal, aquello que Isaiah Berlin denominó "las grandes tempestades ideológicas". La palabra clave será entonces "Revolución", un concepto muy proyectivo, que alude a un más allá temporal, designando simultáneamente una ruptura y un regreso. Cubana o chilena, marxista o liberal, la revolución alimentará el tiempo de los mañanas y de los sacrificios del presente inmediato. Configurará un horizonte de expectativas bajo cuyo resplandor estarán permitidas todas las esperanzas y los sacrificios económicos y políticos. Del Sendero Luminoso peruano a las exaltaciones líricas del chavismo, del fujimorismo al menemismo, las últimas décadas del siglo XX continuarán desarrollando esta búsqueda incansable y, en ocasiones, trágica.

¿Del Buen Revolucionario al Buen Liberal?

Un escritor captó a la perfección el ambiente de aquel entonces. Hace unos treinta años, un ensayista venezolano publicó un pequeño libro que tuvo mucha repercusión: *Del Buen Salvaje al Buen Revolucionario*. Carlos Rangel denunciaba en él las mitologías revolucionarias y las ilusiones líricas de todo un continente. Arremetía, en particular, contra los grandes saltos hacia adelante que terminaron siendo otros tantos saltos hacia atrás, como lo demostraría la dilapidada década de los ochenta. Intencionadamente polémico, el autor atacaba a todos aquellos que se desahogaban con diatribas voluntaristas y futuristas o velaban las realidades de un continente con las venas abiertas. Pero Rangel apuntaba, sobre todo, a la propensión de los occidentales a proyectar en la región sus propios deseos, y a la no menor inclinación de los latinoamericanos a devolverles con complacencia una imagen de intelectuales y guerrilleros que pregonan la ideología revolucionaria de rigor. Con la difusión del marxismo en todas sus versiones, América Latina, "hija del Buen Salvaje, esposa del Buen Revolucionario", se convirtió en la "madre predestinada del Hombre Nuevo", un lugar en el cual las utopías, inalcanzables ya para Occidente, seguían siendo posibles, al otro lado del Atlántico.

Los estereotipos son huesos duros de roer y prosperan a menudo en terrenos fértiles. Los países y las regiones varían, se transforman, adquieren pigmentaciones insospechadas, y a veces mudan literalmente la piel. La arqueología del saber político y económico de la época contemporánea está aún por hacerse en gran parte. Pero hoy las transformaciones del continente latinoamericano son patentes. En el conjunto del continente, los marcos conceptuales y prácticos de lo político se han transformado considerablemente. La mayoría de los intelectuales y dirigentes latinoamericanos se han convertido a la economía de mercado y a la política democrática. La Democracia y el Mercado han sustituido a la Revolución y al Estado en el altar de las creencias y de las preferencias. En suma, todo un vocabulario y una gramática han desaparecido del repertorio político y económico, dejando aflorar un nuevo ideario. Expresiones tales como "lucha de clases", "planificación económica" o incluso "estrategia de sustitución de las importaciones" han sido reemplazadas por "consenso democrático", "consolidación institucional", "desregulación económica" o "apertura comercial".

Esta conversión puede revelarse en un primer momento como problemática, pues, más allá de la cuestión de saber si se trata de un cambio de los marcos de referencia y acciones, fruto de conveniencias o de convicciones, va unida a una inversión de los valores y a una reconversión de los intereses. Podemos preguntarnos, en efecto, si la Democracia, percibida como un horizonte de expectativas en el sentido señalado por Koselleck —siempre por alcanzar y que retrocede sin cesar—, no ha sustituido a la Revolución, si en realidad no ha adquirido su dimensión teleológica. Asimismo, el Mercado, al destronar al Estado como regulador de lo social y de lo económico, lo que habría hecho es, en cierto modo, ocupar su sitio en la tradición totalizadora del pensamiento latinoamericano. ¿Lo que habría ocurrido sería, en definitiva, que el Buen Liberal y el Buen Demócrata de hoy habrían suplantado al Buen Salvaje y al Buen Revolucionario de ayer?

Más extraño aún es que, de México a Argentina, de Perú a Venezuela, los dirigentes latinoamericanos de la última década se hayan manifestado como extraños camaleones, adornándose al principio con tintes populistas para vestirse luego, a la mañana siguiente de las elecciones, con tonalidades claramente liberales. Tales camaleones, políticamente populistas y económicamente liberales, han desmentido los más sutiles análisis de los economistas del MIT (Massachusetts Institute of Technology) y del Banco Mundial, o aquellos, menos contrastados, de los economistas de Chicago y del Fondo Monetario Internacional (FMI). En los manuales de economía, la macroeconomía populista se adapta con dificultad a los rigores poco tropicales del liberalismo económico. Sin embargo, en los años noventa, Carlos Menem hizo bailar a toda Argentina al ritmo de un tango furiosamente liberal. Más al norte, el fujimorismo encaminó a Perú por los senderos luminosos pero escarpados del ajuste estructural. En cuanto al salinismo, con síncope final incluido, hizo acelerar el ritmo cardíaco de un Partido Revolucionario Institucional (PRI) y de un México asfixiados, al apresurar la marcha de reformas tildadas de neoliberales. La Venezuela de Hugo Chávez, última metamorfosis de este camaleón latinoamericano, se las ingenia para repetir las exhortaciones revolucionarias de otros tiempos, aunque puede que en este último caso el chaparrón de exhortaciones revolucionarias no se disipe tan pronto.

Del marxismo al liberalismo, o la economía política de lo imposible

América Latina es un continente de extremos. Está plagado de extremas violencias y de extremas bellezas, de injusticias terribles y de fortunas barrocas. Es también un continente que en el transcurso del último siglo fue sometido a grandes presiones ideológicas. En América Latina siempre ha estado vigente la creencia en una racionalidad que domina lo social y que puede llegar a moldearlo.

De una década a otra se desataron allí numerosas tempestades ideológicas, que barrieron las certezas de ayer y se llevaron con ellas el limo de las reformas apenas esbozadas. En el lapso de unos treinta años, en efecto, el continente se vio sometido a una verdadera avalancha de paradigmas y modelos. Esta meteorología tropical, hecha de chaparrones repentinos y de escampadas igual de efímeras, fue sostenida a menudo por los propios latinoamericanos. También se vio facilitada con frecuencia por los especialistas extranjeros, herederos en esto de los *money doctors* de las famosas misiones Kemmerer que, en los años veinte, acudían desde las cuatro esquinas de las ciencias sociales a descubrir las leyes del cambio en regiones supuestamente maleables, extensiones comparables a gigantescos laboratorios a cielo abierto, disponibles y ofrecidas como si fueran las grandes minas de cobre que colorean el sur del continente. En ese fin de siglo se abatió sobre la región un verdadero enjambre de teorías y paradigmas. Ese diluvio teórico, como lo describió y denunció Albert

Hirschman, estuvo acompañado a menudo de experimentos extremos, inspirados por lo que éste llamó la "rabia por querer concluir" (la "*rage de vouloir conclure*", haciendo referencia al escritor francés Gustave Flaubert). Los rígidos modelos económicos puestos en práctica constituían otras tantas invitaciones a diseñar alternativas sin claroscuros posibles, radicales.

De esta manera, el liberalismo y el democratismo del cual hacían gala numerosos intelectuales y dirigentes latinoamericanos bien podrían ser hoy la prolongación de la tendencia anterior, un episodio más de este juego de permutación de paradigmas. En definitiva, ¿esta conversión no haría sino ilustrar una vez más la permeabilidad y la celeridad con que en América Latina son integrados los pensamientos y las ideas ajenos, para convertirse, en su radicalidad misma, en una forma pseudocreativa de resolver los problemas? Dicho de otro modo, sería tan sólo una muestra más de esa manera de pensar y de hacer economía política a través del prisma de paradigmas que articulan leyes del cambio absoluto y horizontes futuros siempre radiantes.

Hoy, el conjunto de los agentes y observadores de la región está de acuerdo en destacar hasta qué punto se ha transformado el universo conceptual del continente en el lapso de unos treinta años, o sea, desde la fecha en que se publicó el libro de Rangel. En aquella época, la Revolución y el Estado se erigían en conceptos ineludibles del paisaje ideológico, y todo buen latinoamericano vivo era, de pensamiento, obra o discurso, un Buen Revolucionario. Del mismo modo, en la esfera económica, el desarrollo de la región resultaba inconcebible sin el apoyo del Estado, motor y agente insuperable. En cuanto a la democracia, entonces era "formal" o "armada", siempre adjetivada conceptualmente y organizada políticamente, pensada a la izquierda como un instrumento y a la derecha como un subterfugio. Cubana o chilena, social o liberal, la Revolución era la matriz que llevaba en su seno la visión del universo latinoamericano y el prisma a través del cual el mundo veía y quería ver este continente. Después, la liberalización económica y la democratización política hicieron su camino, arrastrando con ellas todo ese nuevo vocabulario, pero también una nueva gramática de política económica, cuyo alfabeto conforman el Mercado y la Democracia.

Capítulo 2
La caída en el presente: América en el jardín de las delicias democráticas

Las reflexiones que Alexis de Tocqueville dedicó a América Latina en sus escritos fueron lapidarias: un régimen político tan delicado como el que prospera en la parte septentrional del continente no puede aclimatarse en las zonas más tropicales de éste. Sin embargo, de norte a sur, la democracia ha hecho su camino en el continente americano, desmintiendo con ello las profecías del autor de *De la democracia en América*. En algunos países, como Costa Rica y Uruguay, la tradición democrática arraigó, incluso, de manera prematura y ejemplar. En el primero de ellos, se asentó desde mediados del siglo XIX. En el segundo, se instaló desde comienzos del siglo XX, y, además, con una perspectiva socialdemócrata a la europea. En otros países del continente, el destino de la democracia se ha mantenido, sin embargo, bastante más fiel a los presagios de Tocqueville, apareciendo intermitentemente y experimentando, en numerosas ocasiones, largos paréntesis autoritarios.

De hecho, en el período 1950–1990, la mayoría de los países de América Latina vivieron bajo dictaduras. Si se hace el cómputo en años, más de un tercio transcurrieron en democracia, y alrededor de dos tercios, en dictadura. No obstante, en ese mismo lapso, el conjunto del mundo, y Latinoamérica en particular, experimentó un notable auge de la democracia. En el caso de América Latina, en 1950, tan sólo ocho de los dieciocho países del continente podían ser considerados democráticos; cuarenta años después, ese número se elevaba a catorce, y el continente alcanzaba su cota democrática máxima a partir de 1985. Veinte años más tarde, con la excepción de Cuba y Haití, donde los regímenes se tambalean todavía entre dictadura tropical y elecciones forzadas por la violencia, los gobiernos latinoamericanos alternan en el poder mediante la mecánica pacífica de las urnas. Como lo señaló el propio Evo Morales, al triunfar en las elecciones bolivianas de finales de 2005, hoy en día los líderes de izquierda, incluso los más radicales que se reclaman herederos del Che, llegan al poder por los votos y no por las balas.

En el período de los últimos cincuenta años, mientras el mundo en su conjunto vivía bajo un único e idéntico tipo de régimen político, democrático o no democrático, América Latina padecía una notoria inestabilidad. De los 141 países analizados por Przeworski y sus colaboradores, sólo 41 experimentaron de hecho transiciones de dictadura a democracia. En América Latina, la rotación de regímenes fue, sin embargo, más intensa en ese lapso: de las 97 transiciones catalogadas, 44 tuvieron lugar en los 18 países latinoamericanos. El índice de transiciones por país fue el más elevado del período, y en América Latina llegó hasta 2,4 transiciones por país, frente a 1,2 en Asia del Sur. El resto de las regiones registraron índices inferiores a 1.

Cabe decir, pues, que durante la segunda mitad del siglo XX fue América Latina, sin duda, el continente donde los cambios de régimen político se produjeron con mayor frecuencia que en cualquier otra región del mundo. Pero fue, asimismo, el continente de las transiciones a la democracia, con una aceleración general a partir de 1983. De allí en adelante, ninguno de los países latinoamericanos experimentó cambio de régimen alguno, a pesar de las siete insurrecciones militares y tentativas de golpe de Estado (tres en Venezuela, dos en Argentina y una en Perú y en Ecuador). Tras el retorno de la democracia, ningún presidente fue destituido por la fuerza. De los diez mandatos presidenciales interrumpidos, dos lo fueron mediante procedimientos parecidos al *impeachment* norteamericano (Collor en Brasil, en 1992, y Bucaram en Ecuador, en 1997); otros, a causa de vídeos que desvelaron los engranajes de la corrupción o como consecuencia de amplias movilizaciones populares pacíficas (Fujimori en Perú y Mahuad en Ecuador, respectivamente, de nuevo en el año

2000, y Gutiérrez otra vez en Ecuador, en 2005, a raíz de movilizaciones populares); el resto se alejó voluntariamente del poder luego de movilizaciones masivas que degeneraron en importantes disturbios, por ejemplo, en las calles de Buenos Aires (en 1989, para protestar contra la hiperinflación que el gobierno de Alfonsín no conseguía frenar, y de nuevo en 2001, para desalojar a De la Rúa, paralizado por la magnitud de la crisis argentina), de Caracas (para protestar contra la corrupción del gobierno de Carlos Andrés Pérez) y también de Asunción. Es más: los dictadores y revolucionarios de ayer, dejando a un lado las armas, como fue el caso del boliviano Hugo Banzer o del sandinista nicaragüense Daniel Ortega, no declinaron presentarse a las urnas, en el transcurso de los años noventa, para recibir los sufragios de sus compatriotas. Segmentos enteros de las poblaciones del continente se vieron de pronto activamente incluidos en los procesos electorales, como ocurrió en las elecciones bolivianas, que por primera vez en la historia del país colocaron a un aymara a la Presidencia. En Brasil, la mayor democracia del continente, los ciudadanos llevaron a la presidencia a un obrero metalúrgico, en la persona de Lula. Además, los dirigentes brasileños, con Cardoso a la cabeza, dieron con el traspaso del poder, en 2002, una lección magistral de elegancia política, que haría palidecer de envidia a sus hermanos mayores democráticos de los países desarrollados.

Durante las dos últimas décadas, las democracias latinas se multiplicaron. A comienzos de los años ochenta, el desencanto hacia las utopías revolucionarias, unido a la aureola de las transiciones democráticas española y portuguesa, dio crédito a la idea de una democracia posible en los países latinos. Solapada en el desencanto utópico y en el redescubrimiento de las virtudes de la democracia, la crisis de la deuda que estalló en 1982, hundiendo rápidamente al continente en toda una década de crecimiento dilapidada, descalificó por largo tiempo a los militares que se hallaban entonces en el poder, a la vez que socavó la legitimidad ya de por sí frágil de los regímenes populistas. Uno detrás de otro, en Argentina, en Uruguay, los regímenes militares fueron cayendo como fichas de dominó, caída que en algunos casos se precipitó por un desastre militar (las Malvinas). De un país a otro, cada una de las transiciones inventó sus variantes: unas fueron pactadas, a la española; otras, otorgadas por los autócratas o forzadas por las presiones, tanto nacionales como internacionales. El año 1989, año de la llegada al poder de los demócratas chilenos y de la caída del muro de Berlín, cerró el ciclo de las grandes transiciones latinas en el sur del continente. Una década más tarde, en 2000, fue el turno del régimen político mexicano —desde hacía tiempo, persuadido de los encantos de la democracia— de dar un nuevo paso y dotarse, por primera vez después de casi setenta años de poder sin interrupción, de un presidente postulado por un partido que no fuese el PRI.

Desde ese momento, un ejército de especialistas en transiciones ha dirigido su atención y examinado ese gran vuelco democrático de América Latina. Sus debates han generado toneladas de papel y han dado lugar a secciones completas de una literatura que será bautizada como *transitología*, y luego, una vez consolidados los regímenes democráticos, como *consolidología*. Un ejército de transitólogos intentó, por tanto, traducir a conceptos estas realidades, desenredar la maraña de los hechos, deducir de ellos leyes y lógicas para llegar a un corpus teórico de axiomas implacables y de regularidades intercambiables de un país a otro. Pero, en cierta manera, hemos asistido al fracaso de la transitología. La búsqueda de los determinantes económicos, sociales o culturales de las leyes de la transformación democrática fue, en efecto, ampliamente revisada, para llegar a una mayor indeterminación, a la toma en consideración de las decisiones de los agentes y de las situaciones de incertidumbre. Tenemos, así, un pensamiento fragmentado, que apuesta por una relativa modestia conceptual y teórica e invita a una saludable cura de humildad.

El conjunto de esta literatura da testimonio, sobre todo, de un cambio epistemológico. A los estudios centrados en las precondiciones como elementos estructuradores y determinantes de las democratizaciones, sucedieron trabajos que postulaban la primacía de las estrategias, de las decisiones y de las preferencias de los agentes.

Esta alteración del enfoque se tradujo en una modificación de las coordenadas temporales de los procesos analizados. A los trabajos de inspiración sociológica, impulsados desde el pasado y focalizados en las estructuras, les sucedieron trabajos de inspiración económica, "proyectados" desde el futuro y que concedían un lugar más importante a los efectos de la coyuntura. Implícita o explícitamente, los análisis, inspirados en la teoría de los juegos, han integrado una evaluación al gusto de los economistas, que "viene" desde las consecuencias futuras, posibles o probables, hacia las acciones emprendidas en el presente inmediato. Se han convertido, así, en verdaderos ejercicios que invierten la flecha del tiempo y se interesan por los escenarios posibles, no ya desde el pasado (estructuras, condiciones y condicionantes), sino desde el futuro (oportunidades, acciones y consecuencias).

En ese sentido, uno de los movimientos más notables de la investigación en torno a las democratizaciones consiste en volver a cuestionar radicalmente las ilusiones acerca de las racionalizaciones retrospectivas y el determinismo. La linealidad causal de los procesos democráticos, que lleva en sí la explicación del encadenamiento secuencial y cronológico, se ha visto, por tanto, muy cuestionada. Ciertamente, ni Juan Linz ni Adam Przeworski —autores de los análisis más destacados, sin duda, sobre los fenómenos de democratización—, ni tampoco muchos otros politólogos, renunciaron en sus estudios a la práctica legítima de intentar separar momentos débiles y fuertes, de exponer la marcha de los hechos y sus encajes lógicos. Pero las democratizaciones no fueron, según estos especialistas, procesos lineales que transcurrieron de manera totalmente irreversible y determinista, a semejanza de los granitos de arena en el embudo del reloj. La imagen del péndulo y sus oscilaciones sería bastante más apropiada, para calificar las trayectorias democráticas, que la de las construcciones lineales.

En definitiva, la novela de las democratizaciones fue, más que la crónica de una muerte anunciada del autoritarismo, la narración de un relato idéntico al del jardín de los senderos que se bifurcan, jardín en el cual el azar, los desvíos y las vueltas, las consecuencias inesperadas y la suerte encubierta constituyen la trama de la intriga. A esta transformación de las coordenadas temporales de los análisis sobre las democratizaciones también responde el eco de una transformación temporal de las realidades políticas. A los horizontes amplios de los autócratas suceden los tiempos breves de la democracia. Siguiendo el ritmo de los calendarios electorales, las agendas políticas se hallan igualmente bajo el imperio temporal de sondeos y medios de comunicación. En América Latina, la época contemporánea coronará el tiempo por excelencia de la democracia, es decir, el presente. En ese sentido, se puede hablar de un estrechamiento de los horizontes temporales, o de un tiempo acortado. La gestión hábil del tiempo constituye, en sí misma, una variable fundamental del éxito o del fracaso de los procesos de democratización. La política económica de las transiciones y las consolidaciones democráticas es, ante todo, una cuestión de *timing*, de arbitrajes intertemporales entre victorias inmediatas y victorias futuras; dicho de otro modo, consiste en gestionar hábilmente la presión temporal, los imperativos inmediatos y las expectativas futuras. Se trata, sobre todo, de remediar lo más urgente, de temporizar o, por el contrario, acelerar las reformas, de delimitar agendas, de disponer secuencias.

Más allá de estas transformaciones temporales, el mayor acontecimiento del final del siglo anterior consistió en que la democracia se hiciera perdurable políticamente, que se arraigara en las tierras latinoamericanas. Es cierto que en 2006 numerosas democracias del continente celebran apenas sus veinte años, pero, aunque recién estén saliendo de la adolescencia, estos regímenes parecen hacerse ya duraderos. Se puede destacar que, a pesar de las crisis financieras, amplias y repetitivas, en México, Brasil o Argentina, la región no ha conocido ningún retroceso democrático. Es más: contrariamente a todo determinismo, a pesar de las profundas crisis económicas sufridas, la preferencia por la democracia no ha disminuido. En 2003, entre los principales países que ostentaban una de las preferencias democráticas más fuertes, según la encuesta de *Latinobarómetro*, figuraban, precisamente, aquellos que sufrieron las peores recesiones de su historia económica contemporánea. En Uruguay y en Argentina, donde la contracción del PIB fue casi del –11% en 2002 (un récord para ambos países en los últimos cien años), el apoyo a la democracia continuó siendo uno de los más firmes el año siguiente, en 2003, con una tasa de preferencia democrática del 78% y el 68%, respectivamente. En Venezuela, las recesiones de 2002 y 2003 (alrededor del 9% anual, también un récord desde los años treinta del siglo anterior) y el advenimiento del chavismo, lejos de erosionar el apoyo a la democracia, lo reforzaron. En estos tres países, la preferencia por la democracia no se debilitó, por tanto, bajo la presión de las crisis económicas: bajó apenas unos puntos en el caso de los países del Cono Sur, e incluso aumentó en el de Venezuela. Asimismo, de modo más general, si bien las encuestas revelan innegablemente un desencanto con respecto a la democracia, en dos tercios de los países la satisfacción con esta ha aumentado, a pesar de los años de crecimiento económico modesto y, a veces, de grandes sacudidas y crisis financieras. Este avance confirma que los ciudadanos latinoamericanos diferencian cada vez más entre la democracia como sistema de gobierno y los logros pregonados por los gobiernos democráticos.

Las encuestas mencionadas corroboran también que la erosión de la preferencia por la democracia es desigual. Pero la ambivalencia de las respuestas se debe, a veces, a la de las preguntas. Si la pregunta incluye matices y se centra en fórmulas como "La democracia puede adolecer de problemas pero es la mejor forma de gobierno", el 64% de los latinoamericanos ratifican este enunciado de Churchill. Esa preferencia se manifiesta tanto en las "viejas" democracias del continente (Costa Rica), en los países que cuentan con un extenso pasado democrático (Uruguay), como en las "jóvenes" democracias (México). Es más: una prueba extra del arraigo de la democracia reside en que los datos de la encuesta de 2004 siguen confirmando el apoyo a ella. A pesar de las crisis, de la creciente insatisfacción y de la desilusión con respecto a los gobernantes, el 72% de los latinoamericanos siguen pensando que la democracia es el único sistema político que puede aportar desarrollo. Un hecho aún más notable es que esta apuesta por la democracia alcanza sus puntos máximos en las tres economías más castigadas por las crisis: Venezuela (donde el 86% de la población comparte esta opinión), Uruguay (84%) y Argentina (79%).

El mantenimiento de la democracia en la región se torna ya duradero. En el período 1950–1990, si acumulamos el total de años transcurridos bajo cada tipo de régimen político en los 18 países latinoamericanos, la dictadura y la democracia se reparten en dos mitades relativamente iguales: entre todos ellos suman 372 años bajo dictaduras y 366 años bajo democracias.Pero, si incorporamos el período más reciente, de 1990 a 2005, la balanza se inclina claramente en favor de la democracia: entre todos los países suman así más de 600 años de vida bajo democracias, frente a apenas 400 años transcurridos bajo dictaduras. De hecho, para el conjunto de los 18 países analizados, en el período 1978–2006, la duración media de la democracia fue de 23 años. Si consideramos, siguiendo la taxonomía

La democracia en América Latina en 2004: el único sistema político que puede ayudar al desarrollo del país (en porcentaje)

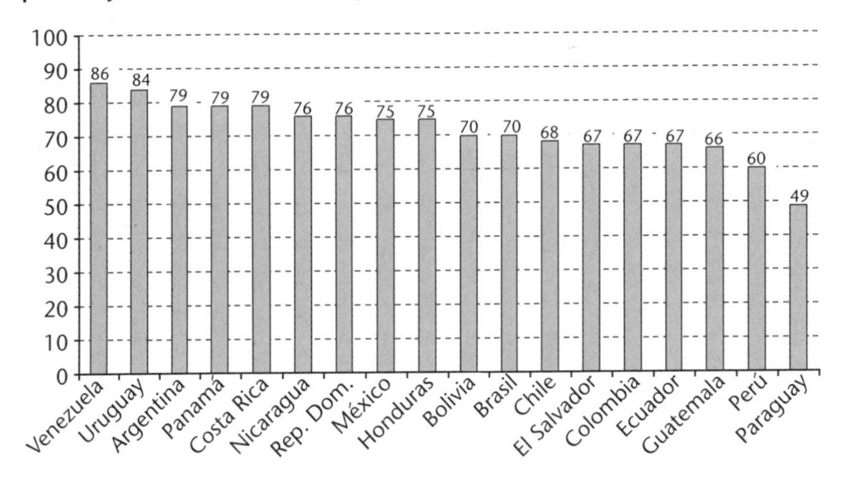

Fuente: Elaboración del autor a partir de las encuestas de *Latinobarómetro*, 2004.

Duración de los regímenes democráticos en América Latina desde las transiciones (1978–2006)

	Año de la transición	Años de vida democrática
Colombia	1978	28
Costa Rica	1978	28
Rep. Dom.	1978	28
Ecuador	1979	27
Venezuela	1979	27
Perú	1980	26
Bolivia	1982	24
Honduras	1982	24
México	1982	24
Argentina	1983	23
El Salvador	1984	22
Uruguay	1985	21
Guatemala	1985	21
Brasil	1985	21
Panamá	1989	17
Paraguay	1989	17
Chile	1990	16
Nicaragua	1990	16
Media		26

Fuente: Javier Santiso, 2005, actualizado según datos del Banco Interamericano de Desarrollo.
Nota: Colombia, Costa Rica y Venezuela elegían sus dirigentes mediante procesos democráticos bastante antes de 1978. Para estos países, el año de referencia utilizado corresponde al año de comienzo del estudio. Como ya hemos subrayado, si consideramos que los años del establecimiento definitivo de la democracia en estos países son las décadas del cuarenta y del cincuenta, estos tres países muestran una duración ininterrumpida de medio siglo de vida democrática. Para México hay varias fechas posibles, que han sido objeto de debate en los análisis: 1982, correspondiente al año bisagra en que el país emprendió cambios institucionales y económicos de envergadura, impulsados por el Presidente Miguel de la Madrid; y también 1988, año en que tuvieron lugar elecciones especialmente disputadas (y polémicas); 1994, cuando llegó al poder Ernesto Zedillo, y 2000, año de la alternancia en el poder con la llegada a la presidencia de Vicente Fox.

establecida por Przeworski, que 1950, 1958 y 1959 fueron los años del establecimiento del presidencialismo democrático en Costa Rica, Colombia y Venezuela, respectivamente, la duración media de los regímenes democráticos en la región fue, de hecho, de más de 26 años.

Esta interesante aritmética temporal revela, sin embargo, algunas grietas. Durante los últimos años, los especialistas se han mostrado preocupados por estas democracias adolescentes. Hiperpresidencialismo, decretismo, democracia delegada o, incluso, democracia de baja intensidad: no han faltado calificativos para denunciar los trastornos del crecimiento democrático de la región. El diagnóstico es, para unos, reservado, y claramente más favorable para otros; por ello, el estado clínico de la democracia varía notoriamente de un país a otro. Pero una constatación se impone en el conjunto de la región: tal como ocurre en las viejas democracias, la insatisfacción de los ciudadanos con respecto a sus dirigentes ha ido en aumento. Las encuestas panamericanas de *Latinobarómetro* lo corroboran: entre 1996 y 2003, la satisfacción ha caído de manera considerable. En todos los países, a excepción de Venezuela, la satisfacción acerca de la democracia ha retrocedido. Una insatisfacción que se refiere, sobre todo, a los escasos logros económicos del régimen democrático o, dicho de otro modo, a la poca capacidad de los gobernantes para llevar al país por los caminos del crecimiento, y no tanto a la preferencia por la democracia como tal, según dijimos. Esta falta de satisfacción ha ido igualmente *in crescendo*, pues del 53% de los ciudadanos latinoamericanos que se hallaban satisfechos con el funcionamiento de sus democracias en 1996, el nivel de satisfacción cayó al 28% en 2003. En otro sentido, este descontento puede interpretarse de modo positivo, si se lo toma como prueba de una mayor madurez ciudadana.

Sin embargo, esta erosión es, como lo hemos subrayado, desigual, y un análisis más detallado permite introducir ciertos matices. Otras encuestas confirman, en efecto, la consolidación de la preferencia por la democracia en América Latina. Según la Encuesta sobre Valores Humanos, realizada entre 1995 y 2000, y dirigida por Norris e Inglehart, el 96% de los uruguayos consideraban que la democracia era el mejor sistema político (o sea, un porcentaje mayor que entre los suecos o los noruegos). El porcentaje era del 86% para los peruanos (el mismo que entre los españoles), del 85% para los argentinos (el mismo que entre los norteamericanos), del 83% para los brasileños, del 77% para los chilenos y del 65% para los mexicanos. En promedio, más del 80% de los latinoamericanos aprobaban los ideales democráticos, una convicción ajustada a la media mundial. Su desencanto se dejaba entrever, sin embargo, cuando se les preguntaba sobre los logros de la democracia: la media no iba, entonces, más allá del 62% de satisfacción, porcentaje que llegaba al 68% en el caso de las democracias europeas.

La caída de la popularidad de los gobernantes entrantes alcanza, en ocasiones, niveles increíbles. En unos meses, algunos presidentes electos —como, por ejemplo, Toledo en Perú— ven caer drásticamente su popularidad, para traspasar la barrera del 10% a mediados de su mandato. El ejemplo de Perú es, de hecho, significativo por la velocidad con que se esfumó la confianza en el gobierno. Ilustra, de igual modo, cómo esa erosión puede estar, a veces, desligada de la evolución macroeconómica. Contrariamente a lo sucedido al final del período de Fujimori, en que la situación económica, al deteriorarse de modo evidente, abonaba el terreno del debilitamiento político, nada de eso ocurrió en el caso de Toledo: a pesar de una economía efervescente que estuvo creciendo a tasas del 5% en pro-

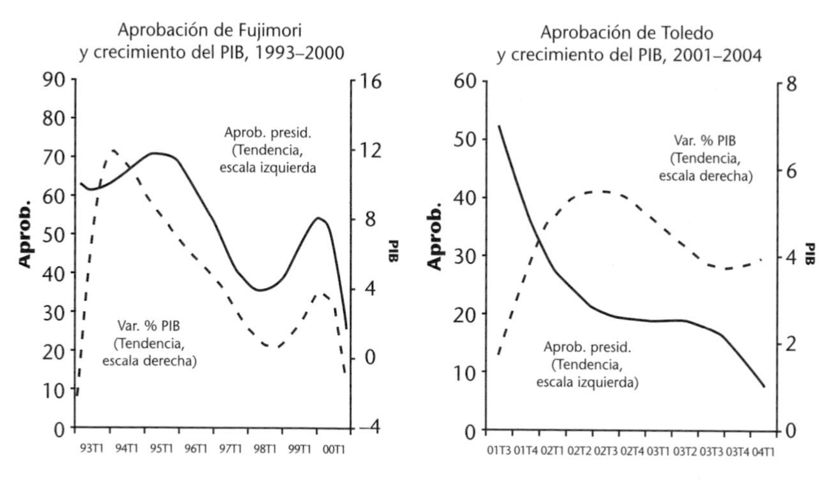

Fuente: BBVA Banco Continental, 2005.

medio en los tres últimos años, entre 2003 y 2005, los niveles de aprobación no dejaron de caer —una prueba más, si hacía falta, de que los ciudadanos peruanos diferencian la esfera económica de la política, sin establecer relaciones de causalidad sistemáticas—.

La velocidad de la erosión del apoyo popular supone un gran reto para las democracias emergentes. Si consideramos, en efecto, que la capacidad para impulsar reformas se concentra, sobre todo, en los primeros meses de gobierno, la rapidez con que se erosiona la legitimidad de los dirigentes y, por lo tanto, su capacidad de gobernar se tornan problemáticas en países en donde los imperativos reformadores se acumulan.

Una observación más detenida permite distinguir, sin embargo, dos grandes grupos de países, como lo muestra el siguiente gráfico: aquellos en que las promesas electorales de los nuevos mandatarios

Velocidad de la erosión de la capacidad de gobernar: la popularidad de los presidentes latinoamericanos

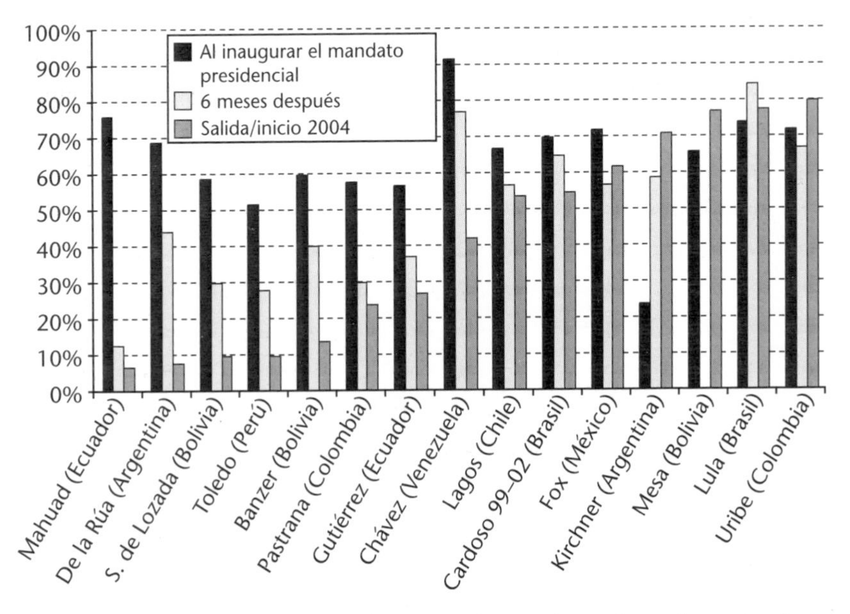

Fuente: Javier Santiso, 2005, basándose en datos de organismos de sondeo nacionales e internacionales recogidos en los diferentes países de América Latina.

fueron exageradas, y aquellos otros en los cuales, por el contrario, fueron bastante más moderadas. En Chile, México, Brasil y también Colombia, a causa de promesas cumplidas o poco pretenciosas, la popularidad de los presidentes se mantuvo en un nivel elevado. En Perú, Ecuador, Bolivia y otros países, los desbordes líricos de las campañas políticas y el embelesamiento en promesas imposibles de cumplir provocaron vertiginosas caídas de la popularidad de los presidentes recién elegidos, y en tiempo récord. La brevedad de las lunas de miel fue, así, proporcional al ímpetu lírico de la campaña prenupcial.

Aun así, las tendencias de fondo dejan entrever, en algunos países, la llegada a la madurez de los regímenes democráticos. En muchos de ellos, el umbral de tolerancia de la población con respecto a la corrupción de sus dirigentes ha descendido marcadamente; además, las sociedades latinoamericanas cuestionan, a través de los medios de comunicación, estas prácticas que los ciudadanos desean ver desterradas de sus repúblicas. Asimismo, el voto de castigo a los dirigentes que no alcanzan logros económicos es cada vez más sistemático, y los electores evalúan retrospectivamente los logros conseguidos. De ese modo, a los votos únicamente prospectivos, basados en la fe en las promesas de los políticos que buscan cargos y puestos, se añaden ahora los votos retrospectivos, que juzgan y sopesan las políticas económicas de los gobiernos salientes. Desde este punto de vista, el precio del billete de entrada parece haberse elevado y estar más acorde con las prácticas arraigadas en las otras democracias occidentales. De hecho, en la década de los noventa, ningún gobierno latinoamericano saliente pudo continuar en el poder una vez que la inflación superó el 15%. Asimismo, desde 1983, un solo gobierno latinoamericano cuya economía se deslizaba hacia la recesión pudo llegar a ser reconducido. Como lo destacan los trabajos de Eduardo Lora y sus colaboradores del Banco Interamericano de Desarrollo (BID), realizados para un conjunto de diecisiete países de la región en el período 1985–2002 (67 elecciones presidenciales y 82 elecciones legislativas), los diferentes electorados latinoamericanos se mostraron particularmente sensibles a los logros y los fracasos de sus gobernantes en materia de crecimiento y de inflación.

La democracia, o la consagración del presente

Una de las dificultades que amordazan más aún a las democracias latinoamericanas emergentes es la de su horizonte temporal. Entre las mil y una definiciones de "democracia", una de las más pertinentes es, sin duda, la ofrecida por el politólogo Juan Linz, quien la conceptúa como un gobierno *pro tempore*. Los gobernantes democráticos no son más que los depositarios temporales del poder, pues sus mandatos están encajados en límites temporales precisos. Desde este punto de vista, la democracia se diferencia de la autocracia, de la dictadura o de los regímenes sultánicos por su temporalidad de horizonte limitado. En los regímenes autocráticos, los dirigentes buscan, por el contrario, extender su permanencia en el poder y abstraerse de las reglas temporales a que se someten de buen grado los demócratas, quienes se esmeran a la hora de respetar el *tempo* que imprimen a la vida política las elecciones recurrentes y regulares. A semejanza del patriarca de Macondo creado por García Márquez, los autócratas sueñan con un tiempo político en suspenso y aspiran a no dejar el escenario del poder si no es porque los obligue la edad.

Entre las dificultades de las democracias se halla, no obstante, la de limitar los efectos no deseados de los horizontes temporales acotados. Como lo recalcan los trabajos de Olson, o incluso los de North y sus colaboradores, cuando los horizontes temporales de los dirigentes son limitados, la tentación de depredar es mayor. Para atenuar este efecto perverso y limitar esta propensión, o los horizontes tienen que hacerse necesariamente infinitos —lo cual es imposible, por definición, en un régimen democrático— o el sistema debe generar sus propias defensas, es decir, crear instituciones que obliguen a los gobernantes con horizontes temporales limitados a actuar como si estuvieran ante horizontes infinitos. La historia del desarrollo de las instituciones financieras ilustra a la perfección este imperativo. Según surge de los trabajos de Haber y sus colaboradores, únicamente con medidas y estructuras de *incitación* que promuevan políticas institucionales para disminuir la propensión depredadora de los gobernantes se podrá conseguir que los sistemas financieros prosperen, como lo muestra la historia del desarrollo de los sistemas bancarios de Estados Unidos y México en los albores del siglo XX.

Las experiencias llevadas a cabo en México en la última década confirman también esta necesidad de levantar resguardos. Durante los años noventa, el país llevó a cabo dos grandes reformas bancarias, emprendidas tras la nacionalización de principios de los ochenta. En la primera de ellas, en 1991, las autoridades mexicanas procedieron a privatizar el sistema bancario, con el objeto de llevar al máximo el precio de las ofertas y de los ingresos de caja derivados de la venta de los activos. La combinación de un cuerpo normativo débil y de falta de instituciones capaces de garantizar una supervisión estricta de los riesgos *ex ante* y de los derechos de propiedad *ex post* dio como resultado estrategias de préstamo poco rigurosas. Cuando el país padeció, en 1994, fuertes turbulencias financieras, esta primera experiencia desembocó, en menos de cuatro años, en una crisis bancaria de gran magnitud, cuyo costo estimado fue de más de US$65.000 millones. En la segunda experiencia, llevada a cabo a partir de 1997, se reformó el sistema y se permitió la entrada de operadores extranjeros dotados de mejores plataformas tecnológicas y de sistemas de control de riesgos. Por su parte, las autoridades mexicanas se dotaron de instituciones de supervisión bancaria más rigurosas, a la vez que se fomentó la independencia del Banco Central, convertido con el tiempo en una de las instituciones más respetadas y de mayor credibilidad del continente.

Otra dificultad típica de las democracias emergentes radica en que los corsés temporales se revelan estrechos con respecto a la dinámica de las reformas. Mientras que las llamadas "reformas de primera generación" son, a menudo, de rápido desarrollo, pues los desembolsos de una privatización o la reducción de aranceles se producen casi inmediatamente, las denominadas "reformas de segunda generación" son de maduración bastante más lenta. De ahí la voluntad legítima de los gobernantes latinoamericanos (aunque en algunos casos enmascare el simple deseo de mantenerse en el poder) de ser reelegidos, para poder cosechar y saborear los frutos de sus reformas. De ahí también cierta "economía política de la impaciencia" de parte de los ejecutivos, consistente en forzar la aprobación de las leyes o en extender (legalmente) los horizontes temporales de sus mandatos. De ahí también, finalmente, la proliferación, en algunos casos extremos, de los asaltos de los ejecutivos, las alteraciones legislativas, la multiplicación de decretos, las presiones políticas, casi en los márgenes de la legalidad, eso que algunos han llamado (exageradamente) *micro-breakdowns* de la democracia. En las dos últimas décadas se han podido comprobar 120 asaltos de esa índole, es decir, el 45% de los años transcurridos tras el retorno de la democracia a estos países. A excepción de Chile, todos han experimentado estas caídas de la tensión democrática: Perú y Colombia, cerca del 90% del total de los años a partir de 1980; Ecuador, cerca del 60%; Brasil y Venezuela, alrededor del 40%; Argentina, finalmente, el 30%. Sin embargo, este tipo de análisis obvia lo esencial: que desde el retorno de la democracia, con la última ola de democratizaciones, no se ha censado ningún *macro-breakdown*. La época en que se sucedían los derrocamientos de regímenes democráticos parece haber quedado decididamente atrás. Desde 1950, en América Latina se verificaron más de 70 golpes de Estado (25 de los cuales se produjeron contra gobiernos militares), pero su frecuencia se redujo drásticamente en el curso de los años ochenta, y prácticamente desaparecieron en la década siguiente.

Más allá de estos casos extremos, de Brasil a Perú, pasando por Argentina, en los países emergentes se han multiplicado las tentativas de hacer frente a las temporalidades democráticas. En los últimos años han proliferado las reformas constitucionales que permiten la reelección, ya que los dirigentes intentan conciliar los tiempos acotados de las democracias con los más largos de las reformas. Después de Fujimori en Perú en 1993, Menem en Argentina y Cardoso en Brasil lograron en 1994 una reforma de la Constitución que admitió la reelección inmediata. Diez años más tarde, Colombia optó también por una disposición similar. Actualmente, alrededor de dos tercios de los regímenes políticos latinoamericanos permiten que un presidente aspire a un segundo mandato presidencial, ya sea inmediatamente después del primero o tras un período determinado. En total, en las dos últimas décadas, diez países modificaron su legislación en esta materia, y todos, a excepción de Paraguay, lo hicieron para permitir la reelección inmediata o luego de un período de transición.

Por regla general, en la mayoría de los países los mandatos presidenciales tienen ahora cuatro años de duración, con la posibilidad de reelección inmediata. Sin embargo, también la duración de los mandatos presidenciales ha sufrido modificaciones. Sobre un total de dieciocho países estudiados, ocho de ellos eligen a sus presidentes para un período de cuatro años, siete para un período de cinco años y, finalmente, tres para un período de seis años. Siete países han modificado la duración de los mandatos, en general para alargarla pero también para reducirla, con la posibilidad de reelección. Cuando los mandatos son más largos, como en Chile o México (seis años), o en Uruguay, Paraguay, Panamá, Nicaragua, El Salvador o Bolivia (cinco años), la reelección inmediata está vedada. A este respecto, las excepciones son Perú y Venezuela, con mandatos de cinco y seis años, respectivamente, y la posibilidad de reelección inmediata. De tal modo, un presidente puede, en teoría, mantenerse en el poder continuadamente por un período total de doce años en Venezuela, diez años en Perú y ocho años en Brasil y Argentina.

Los cálculos de Przeworski y sus colaboradores acerca del período 1950–1990 confirman que la esperanza de vida en el gobierno de los jefes de Estado demócratas es, sin embargo, inferior a la duración media de los mandatos. Los jefes del Ejecutivo se mantienen en el poder alrededor de tres años y medio, y los presidentes de democracias difícilmente llegan a los cuatro años. Los dictadores, por su par-

Duración de los mandatos presidenciales y posibilidad de reelección en América Latina en 2005

País	Duración del mandato actual	Duración del mandato anterior	Año del cambio	Reelección inmediata	Reelección no inmediata	Reelección vedada	Año del cambio
Argentina	4	6	1994	X			1994
Bolivia	5	4	1994		X		
Brasil	4	5	1994	X			1997
Chile	6	8	1993		X		
Colombia	4	4				X	1991
Costa Rica	4	4				X	
Ecuador	4	4			X		1996
El Salvador	5	5			X		
Guatemala	4	4	1993			X	
Honduras	4	4				X	
México	6	6				X	
Nicaragua	5	6	1994		X		1995
Panamá	5	5			X		
Paraguay	5	5				X	1992
Perú	5	5		X			1993
Rep. Dom.	4	4			X		1994
Uruguay	5	5			X		
Venezuela	6	5	1999	X			1998
Total	4,7	5	7	4	8	6	9

Fuente: Javier Santiso, 2005, sobre la base de datos recopilados por el Banco Interamericano de Desarrollo, 2004.

te, parecen disfrutar de una permanencia en el poder casi dos veces más larga (cerca de siete años y medio).

Otra posible respuesta para adaptar la breve duración de los mandatos a la urgencia de las reformas consistió en acelerar los tiempos de aprobación y ejecución de las leyes, multiplicando los decretos de urgencia, que permiten eludir la lentitud propia de los trámites y de las comisiones y sesiones parlamentarias. En Perú, por ejemplo, el frenesí de los decretos de urgencia llegó al paroxismo durante los dos primeros años de la administración de Alberto Fujimori, los más intensos en materia de reformas estructurales. Entre 1990 y 1992, o sea, en menos de dos años, más del 70% de las leyes votadas lo fueron mediante este mecanismo, que permite comprimir los tiempos. Valga la comparación con los gobiernos de Fernando Belaúnde (1980–1985), Alan García (1985–1990) y Valentín Paniagua (2000–2001), y con los cuatro primeros años del mandato de Alejandro Toledo, en los cuales no se superó la media del 40%. Por el contrario, en todo el período de Fujimori (1990–2000) se llegó al 60%. Otro ejemplo significativo es el de Argentina. Tras el regreso de la democracia en 1983, Raúl Alfonsín utilizó con moderación este mecanismo constitucional, pero la llegada al poder del peronista Carlos Menem, en 1989, se tradujo en el desbocamiento espectacular de la maquinaria política. En menos de cuatro años fueron aprobados más de 300 decretos de necesidad y urgencia, cifra más de diez veces superior a la de todos los decretos de este tipo aprobados durante toda la historia constitucional argentina entre 1853 y 1989.

El tiempo de las democracias acarrea, pues, tensiones, a las que intentan adaptarse los demócratas latinoamericanos. Pero, además de adecuarse a los calendarios electorales, los dirigentes de las democracias del continente también deben adaptarse, al igual que en otros lugares del mundo, a las temporalidades propias de ese cuarto poder que son los medios de comunicación. Ávidos de sondeos y de tiempo real, estos últimos imponen su ritmo a la vida política del país. Para los dirigentes de las democracias emergentes, uno de los retos consiste en aplacar ese "furor por el presente y la inmediatez". No sólo están condicionados por el calendario de los plazos electorales, sino que también la frecuencia de los sondeos de opinión los somete al yugo temporal de un escrutinio permanente. Cuanto más escasos son los logros en lo que respecta a crecimiento y distribución de la riqueza, tanto más impacientes están los ciudadanos por ver concretados los efectos de las reformas. Dirigentes y dirigidos se hallan así atrapados bajo el dominio del famoso "efecto túnel" evocado por Albert Hirschman, efecto que induce a los ciudadanos a soportar (o no) un presente insatisfactorio con la esperanza de un futuro mejor. Para los dirigentes, todo el juego democrático consiste, entonces, en regular, desentenderse de las impaciencias y las expectativas, esforzándose a la vez por extender el horizonte temporal de los electores para evitar que éstos, contrariados, se precipiten hacia otros líderes o hagan sentir su protesta mediante los sondeos negativos o los votos de castigo. La economía política de la paciencia, el arte de los *trade-off* intertemporales, o incluso la gestión de la impaciencia, se imponen como artes imprescindibles para las políticas económicas de los aprendices de demócratas latinoamericanos.

En algunos casos, sin embargo, la impaciencia vence. Las protestas se multiplican, y pueden llegar incluso a desalojar a los dirigentes, como lo atestiguan la salida forzada del presidente argentino Fernando de la Rúa en 2001, la caída de Sánchez de Losada, en Bolivia, en 2003, o el derrocamiento de Gutiérrez, en Ecuador, en 2005, caída provocada por los indígenas marginados, quienes, aun cuando constituyen más del 60% de la población, suman apenas un tercio de los representantes parlamentarios. En otros casos, esta impaciencia tiene su reflejo en cortocircuitos institucionales orquestados por los propios dirigentes: cuando, a punto de agotarse las ideas, no pueden actuar ya con las instituciones existentes, simplemente las importan. Esto fue lo que ocurrió en Argentina en la última década del siglo XX, cuando se inventó una ficción monetaria, la famosa *convertibilidad*, según la cual 1 peso argentino equivalía a 1 dólar norteamericano. En otros países, acuciados por la crisis, los dirigentes decidieron adoptar sin ambages el billete verde como moneda nacional (Ecuador y El Salvador, en 2001). En vez de madurar lentamente (y penosamente) instituciones endógenas, prefirieron, en estos casos, importar una institución exógena —el dólar— para paliar las insuficiencias de su propia moneda y obtener una supuesta curación rápida y definitiva de los problemas macroeconómicos.

En determinados países, la dolarización sigue siendo importante. Los depósitos bancarios en dólares ascienden a más del 50% del total de los depósitos en países tan diversos como Paraguay, Nicaragua, Perú e incluso Bolivia. En algunos, como Uruguay, alcanzan niveles récord, cercanos al 90%. Esta dolarización demuestra, en definitiva, cuáles son las preferencias monetarias de una nación, y constituye un indicador de la desconfianza hacia una institución tan fundamental como la moneda. En ciertos casos, esta desconfianza hacia las instituciones no está ya focalizada en un número reducido de ellas, sino que se extiende al conjunto de la nación: la fuga de capitales refleja una desconfianza generalizada de los propios ciudadanos hacia su país. Según fuentes oficiales, los fondos que los argentinos tenían fuera de su país en títulos, acciones, depósitos bancarios, cajas fuertes e inmuebles se elevaban, en 2003, a cerca de US$105.000 millones, es decir, una suma equivalente al 75% del PIB nacional o a seis veces las reservas de entonces del Banco Central argentino.

Los trabajos de economía política sobre los logros económicos de la democracia son abundantes, e innumerables las correlaciones de variables. De cualquier modo, revelan que la democracia y el imperio de la ley están ligados positivamente a los logros económicos. Muestran, asimismo, que las autocracias nacen, mueren o perduran sea cual fuere la renta per cápita de cada ciudadano, invalidando así los supuestos de las teorías de la modernización, según las cuales el desarrollo económico hace inevitable la transición hacia la democracia. La supervivencia de una democracia tiende, por el contrario, a garantizarse con el nivel de desarrollo económico, y se torna bastante más sensible a los logros económicos estimados en términos de crecimiento. Las democracias tienen más tendencia a declinar en períodos de crisis económica, y las democracias presidenciales del tipo latinoamericano, más aún que sus homólogas parlamentarias. Mientras en épocas de crecimiento la esperanza de vida del régimen parlamentario es de ochenta años, cuando la economía se estanca o decae pasa a ser de veintiséis años. Para los regímenes presidenciales, la esperanza de vida es más reducida: veintisiete años en momentos de crecimiento de la economía, y apenas ocho años cuando ésta declina.

Sabemos también que las democracias se vuelven particularmente resistentes más allá de ciertos umbrales de renta por habitante y de progresos en materia educativa. Sin duda, una de las claves de la consolidación de la democracia en la región pasará por el desarrollo de la educación. Los estudios sobre la relación entre democracia y crecimiento apuntan en ese sentido, e insisten en la importancia fundamental del desarrollo del capital humano en sentido transversal como fuente de crecimiento y de consolidación democrática. Los países que salen de la pobreza son, al fin y al cabo, aquellos que acumulan capital físico y humano, se vuelven más ricos y mejoran, por consiguiente, sus instituciones. Una de ellas, particularmente favorable para el desarrollo económico, es la del imperio de la ley, como lo destacan Rigobón y Rodrik en sus últimos trabajos. América dispone, en este aspecto, de amplias avenidas por recorrer y donde desplegar sus reformas, menos espectaculares, sin duda, que las llamadas "de primera generación", pero igual de necesarias para el desarrollo de un país.

Todos estos resultados muestran algunos de los posibles senderos para el desarrollo futuro en América. Más crecimiento, mayor reparto y más educación, también más parlamentarismo y menos presidencialismo, constituyen las piedras angulares del anclaje por venir para las democracias latinoamericanas emergentes. De ahora en adelante, la región podrá ostentar una hermosa historia democrática, que desmienta las profecías de Tocqueville. Entre 1945 y 2005, el movimiento hacia la democracia fue, en efecto, uno de los más intensos del mundo. Sobrevino, además, en un contexto internacional particularmente inestable, si consideramos que las crisis financieras mundiales fueron dos veces más numerosas después de 1945 que antes de 1914, en la época de la primera gran globalización.

Aun así, respecto de los estándares de los países emergentes, América Latina fue una región particularmente inestable desde el punto de vista político. Concentró más del 35% de todas las transiciones de regímenes políticos ocurridas en el transcurso de ese período, aunque representó sólo el 10% del total de los países del globo. Tanto en la región como fuera de ella, la búsqueda de un mundo mejor pasa por una doble estabilización: política y económica. Latinoamérica no escatimó esfuerzos en este sentido, pues en las últimas décadas multiplicó los intentos de estabilización. Se lanzó a un proceso de ajuste estructural de gran amplitud, para sincronizar sus relojes con la hora que marcan los relojes del mundo desarrollado, cuyas dos agujas son la democracia y la economía de mercado. Si el giro hacia la democracia constituyó una de las grandes noticias de las últimas décadas, otra no menos importante fue, con toda seguridad, la del amarre de la economía de mercado en una región que hasta entonces se había debatido entre los flujos y reflujos de las grandes mareas ideológicas, amplificadas por las viejas lunas macropopulistas o las nuevas neoliberales.

Desde este punto de vista, en 2006 América Latina vuelve a estar en una encrucijada. Como en el cuento de Borges, la región se encuentra de nuevo en un jardín de senderos que se bifurcan. Las últimas dos elecciones presidenciales, celebradas en Bolivia y en Chile a mediados de diciembre de 2005 y enero de 2006, respectivamente, apuntan en definitiva hacia dos estrategias, dos senderos singularmente opuestos. Por un lado, un desarrollo introvertido, volcado a la repetición de la historia, en que la lucha de clases se tiñe de coloridos indigenistas, y, por otro lado, un desarrollo extravertido, inmerso en la globalización, símbolo del evangelio neoliberal y de la apuesta por la economía de mercado. En estas dos elecciones presidenciales son posibles tanto una lectura como la otra, aunque ambas carezcan, sin embargo, de matices.

Si tomamos el caso de Bolivia, por ejemplo, es indudable que la victoria de Evo Morales se convirtió en un fenómeno mediático, en particular en los periódicos europeos y estadounidenses. Como unos años atrás, cuando Hugo Chávez se alzó con el poder en Venezuela, los estereotipos latinoamericanos se volvieron a reactivar. Como en los viejos tiempos de la odisea cubana, cuando Chávez llegó al poder, el Buen Revolucionario volvió a lucir su verba electrizante en el continente. Con Evo Morales, la revolución bolivariana caribeña parece ahora extenderse al Altiplano andino, reactivando de paso otro de los grandes estereotipos del continente, el del Buen Salvaje, en su versión posmoderna, con móvil incorporado y acceso inalámbrico.

La victoria de Evo Morales fue abrumadora. Por primera vez en la historia de Bolivia desde el regreso a la democracia en 1982, un presidente ganó por mayoría absoluta en la primera vuelta (54% de los votos). Como en Venezuela, los partidos tradicionales quedaron aplastados, sancionados por no haber sido capaces de consolidar una estrategia de desarrollo. Bolivia, si bien no dispone de las mismas riquezas que Venezuela, también concentra en su suelo tesoros invalorables, que la convierten en la segunda reserva de gas del continente. A pesar de ello y de su enorme potencial agrícola, el país es uno de los más pobres del continente. Su PIB per cápita apenas alcanza a 750 euros. Después de más de media década de recesión, el crecimiento reapareció de manera tímida en 2005 (4%), impulsado por las exportaciones y los ingresos derivados del impuesto directo a los hidrocarburos (en 2005, una ley impulsada por Evo Morales en el Congreso elevó unilateralmente las tasas hasta el 50%).

Sin embargo, el cambio de rumbo anunciado puede llegar a desembocar en otro callejón sin salida. Mientras otros países de la región, como Perú, acaban de firmar un tratado de libre comercio con Estados Unidos, y otros, como Ecuador o Colombia, aspiran a firmarlo, Bolivia parece estar a punto de darle la espalda al gran hermano del norte, un país del que depende la industria exportadora boliviana. Lo más llamativo es que la apuesta externa de Bolivia ha despertado en el pasado un singular interés: el índice de inversión extranjera directa (IED) con relación al PIB es uno de los más elevados de los países emergentes. A finales de 2004, ese índice, en términos de stock acumulado de IED, era superior al 80% del PIB, mayor que el de Chile (70%), Brasil (27%) y México (25%) en términos relativos.

Sin embargo, lo peor no está siempre por venir. Las pesadillas de unos y los sueños de otros tendrán seguramente matices, claros y oscuros. El poder de Evo Morales no será absoluto, tendrá contrapesos. El desborde de nacionalizaciones antiliberales prometido por unos y temido por otros posiblemente no se producirá, en todo caso, con la velocidad esperada. En el Congreso, sus partidarios tendrán una mayoría relativa y, por lo tanto, deberán buscar consensos. Otro contrapeso importante será el poder regional. Por primera vez, los bolivianos han elegido sus prefectos (gobernadores) departamentales. La mayoría de ellos pertenecen a la oposición, en particular en la rica provincia de Santa Cruz, donde arrasó el líder autonomista. La democracia es un régimen de lentitudes. Para bien o para mal, en ella operan los gradualismos, los pesos y los contrapesos.

Más hacia al sur, en Chile, tuvo también lugar un acontecimiento radicalmente distinto. Con Michelle Bachelet, por primera vez, una mujer se asoma a la presidencia del país, una novedad en el sur del continente. La modernidad chilena difiere en forma rotunda de la boliviana. En este país, con un PIB nominal diez veces superior al de Bolivia, los Buenos Revolucionarios dejaron de estremecer el paisaje político hace ya años. Por otro lado, el dictador de gafas oscuras fue perdiendo, juicio tras juicio, su sonrisa de Mona Lisa. El país goza nuevamente de tasas de crecimiento "asiáticas" (6% en 2005), impulsadas por un modelo exportador y precios del cobre en máximos históricos. Las tasas de inversión rozan el 25%, un récord en la región, y las primas de riesgo son las más bajas del continente.

En particular, desde hace un cuarto de siglo Chile se ha volcado hacia un pragmatismo económico que se fue anclando reforma tras reforma —como veremos más adelante—, combinando apertura exterior con controles de capitales, privatizaciones empresariales con regulaciones de pensiones, apuesta por la economía de mercado y mantenimiento bajo control estatal de una buena parte de la riqueza del cobre. En Chile no se ha dado, como se repite muchas veces, el triunfo del Buen Liberal sobre el Buen Revolucionario. El éxito del modelo chileno reside, precisamente, en haber conseguido desarmar los modelos y deshacerse de los paradigmas, haber conseguido impulsar, de manera pragmática y gradual, una política económica de lo posible.

En 2006, el maratón electoral muestra indudablemente la vitalidad democrática que exhibe hoy en día todo el continente. Uno tras otro, cada país elegirá su sendero de desarrollo. En menos de un año se celebrarán, en total, una docena de elecciones presidenciales. La intensidad del ciclo político alimentará con seguridad los noticieros. Puede ser que más Buenos Revolucionarios surjan de las urnas. Lo más llamativo estriba, sin embargo, en la densidad misma del baile: las democracias latinoamericanas alcanzaron más de veinticinco años de promedio de vida. A pesar de los sobresaltos, en ningún país el baile fue interrumpido de manera abrupta. En todos, los sueños y las pesadillas brotaron, pero siempre surgiendo de las urnas.

Capítulo 3
Los ajustes estructurales como ajustes temporales

Los estereotipos económicos sobre América Latina son recurrentes. Uno de los más recientes y obstinados es el de un continente que se habría entregado en cuerpo y alma a las deidades liberales de la economía de mercado. La historia nos enseña, sin embargo, que esta pasión liberal, tan espontánea como efímera, oculta una realidad más sutil, que podría ser reducida a una simple permutación de paradigmas, un trueque del traje del Buen Revolucionario de ayer por el del Buen Liberal.

Otro estereotipo aplicado a América Latina se refiere a su inestabilidad. A veces, se ironiza sobre la región como una de las más inestables desde el punto de vista macroeconómico, con *booms* de crecimiento extraordinario seguidos por crisis y recesiones igualmente dramáticas. En comparación con Asia, las economías de América Latina han sufrido, en promedio, un 50% más de crisis (cada país) durante el período 1970–1995. La región no sólo padece crisis dos veces más frecuentes en promedio, sino que éstas son también tres veces más severas que sus homólogas asiáticas. Las diferencias se atenúan, sin embargo, cuando se incluyen en el cómputo los últimos años del siglo XX, caracterizados por las crisis asiáticas y la búsqueda de la estabilidad macroeconómica en América Latina.

De hecho, la volatilidad del crecimiento de los países latinoamericanos es particularmente elevada. En el transcurso del siglo XX, o sea, un período de cien años, aquélla fue del 8% en países tan diversos como Chile o Venezuela, con récord en Cuba (15%). No obstante, lo que se observa en ese período es que la volatilidad fue disminuyendo, como lo corrobora el ejemplo argentino: alcanzaba al 8% en 1900–1913, y en 1981–1996 fue del 5,4%. Cuando se comparan las décadas más recientes (1980–1990), la volatilidad se reduce en una media ponderada de 4,5 a 3,5. Algunos países han registrado, incluso, caídas muy pronunciadas de la volatilidad macroeconómica. La frecuencia de las crisis disminuyó, igualmente, casi dos tercios si consideramos las siete principales economías de la región, pasando de un total de veintiséis crisis en los años ochenta a nueve en la década siguiente.

Volatilidad macroeconómica en América Latina
(desviaciones estándar de la tasa de crecimiento, por décadas)

País	Años 1980	Años 1990
Haití	2,9	6,4
Perú	8,4	5,2
Argentina	5,6	5,5
Venezuela	4,8	5
República Dominicana	2,7	4,4
México	4,4	3,6
Chile	6,4	3,5
Ecuador	4,5	3,4
Colombia	1,5	3,3
Brasil	4,6	3
Uruguay	6,6	2,8
Panamá	6,5	2,6
Honduras	2,5	2,5
Costa Rica	4,5	2,4
Nicaragua	5,4	2,3
El Salvador	5,7	1,9
Paraguay	5,3	1,5
Bolivia	2,9	1
Guatemala	2,7	0,8
Media no ponderada	4,7	3,3
Media ponderada	4,6	3,5
Media total	4,6	3

Fuente: Javier Santiso, 2005, basado en datos del Banco Interamericano de Desarrollo y del Banco Mundial, 2004.

Esto no significa que las cifras que manejamos hoy no sean aún elevadas. Por citar sólo el caso —espectacular— de Argentina, este país experimentó tasas de crecimiento que pasaron, de un año al otro, de –11% (en 2002) a cerca del 9% (en 2003 y también en 2004), es decir, casi veinte puntos de diferencia en un lapso de tiempo extremadamente corto. Así como no faltan ejemplos de recesiones abruptas en América Latina, tampoco faltan los de aceleraciones repentinas de la economía. Así, la región registró, junto con Asia, el mayor número de casos de aceleración del crecimiento durante la segunda mitad del siglo XX.

Esta volatilidad macroeconómica tiene su correlato en una volatilidad comparable en el ámbito político e institucional, ya que ambas se autoalimentan como en un circuito cerrado. Argentina sigue teniendo una tasa de rotación de ministros particularmente elevada, y esta inestabilidad acentúa (o a veces refleja) los sobresaltos económicos. Bajo la presidencia de Alfonsín (1983–1989) y de Menem (1989–1999), la inestabilidad de los gabinetes fue comparable (la media de cambio en algún ministerio fue de uno cada 2,5 meses y 2,8 meses, respectivamente), y se acentuó después bajo los gobiernos de Fernando de la Rúa (1999–2001) y de Eduardo Duhalde (2002–2003), con rotaciones ministeriales cada 0,8 y 0,9 meses, respectivamente. Dicho de otro modo, desde la vuelta a la democracia en 1983, Argentina tuvo, en promedio, un cambio de ministro cada dos meses. En el ámbito de la vida parlamentaria predominan también la inestabilidad y los horizontes temporales breves. Los diputados argentinos apenas cumplen, en promedio, un único mandato parlamentario, mientras sus homólogos norteamericanos desempeñan entre cinco y seis mandatos en el transcurso de su vida política. De hecho, entre el retorno de la democracia en 1983 y el año 2000, la tasa de reelección de los diputados argentinos fue inferior al 20%, frente a más del 80% en Estados Unidos durante todo el siglo XX, o del 60% en Chile tras la vuelta a la democracia. La historia argentina reciente actualiza, de este modo, su pasado de inestabilidad política, con una diferencia de peso, no obstante, porque va inserta dentro de una arquitectura democrática. Desde el primer golpe de Estado, en 1930, hasta finales del siglo pasado, Argentina sufrió, en efecto, un total de seis interrupciones de su trayectoria democrática. Esta inestabilidad trajo aparejados, durante el período 1930–2000, mandatos de duración relativamente reducida: apenas 2,6 años en promedio para los presidentes, 2,9 para los parlamentarios y 1,9 para los gobernadores de provincia. Estos horizontes temporales inhiben cualquier despliegue de políticas económicas graduales. La inestabilidad se extiende, además, al conjunto de las instituciones. No deja a salvo, por ejemplo, a la Corte Suprema de Justicia, donde la duración media de los mandatos, entre 1960 y 1990, alcanzó escasamente a los cinco años, en tanto que en Estados Unidos fue de casi veinte años en ese mismo período (sigue siendo, aun así, similar a los estándares latinoamericanos, pues Chile presenta períodos superiores en apenas un año a los de Argentina). Igualmente, la tasa de rotación de los presidentes del Banco Central fue elevada, ya que cambiaron cada quince meses, aproximadamente, desde el retorno de la democracia en 1983. Desde la creación de la institución, es decir, durante sus 75 años de existencia, se han sucedido no menos de 36 presidentes, lo cual equivale a una duración media de dos años en el mandato. A modo de ejemplo, después de que el presidente Duhalde nombró, en abril de 2002, ministro de Economía a Roberto Lavagna, el Banco Central de la República Argentina vio sucederse un total de cuatro presidentes: Mario Bléjer, Aldo Pignanelli, Alfonso Prat-Gay y, finalmente, Martín Redrado, designado en septiembre de 2004.

La comparación con los vecinos chilenos sirve, asimismo, para tener una idea de la medida en que variaron las trayectorias institucionales de la región. La Constitución chilena de 1833 duró cerca de cien años. La institución presidencial también fue consolidándose paulatinamente: a partir de 1891, con la notable excepción de Salvador Allende, todos los presidentes chilenos finalizaron sus mandatos. Más allá de los cambios de régimen, las instituciones fueron particularmente estables, como es el caso del Servicio de Tributos, por ejemplo: desde su creación, en 1925, se sucedieron un total de catorce directores, dos de los cuales ocuparon sus puestos menos de un año, en tanto que los doce restantes se repartieron alrededor de ochenta años de ejercicio en sus funciones.

Si hacemos extensiva la comparación al conjunto de los países de la región, comprobamos, igualmente, que el caso argentino se revela, sin embargo, menos excepcional de lo que aparenta en materia de rotación de carteras ministeriales. En la década de los noventa, los tres presidentes de Costa Rica y los de Uruguay "gastaron" cada uno, en promedio, 18 y 21 ministros, respectivamente, frente a los 40 ministros que tuvieron los tres presidentes colombianos que se sucedieron en el mismo período. Si contamos los dos mandatos de Menem y el de De la Rúa (a partir de allí la volatilidad se acentuó), Argentina ostenta una tasa de desgaste ministerial relativamente razonable (23 ministros por presidente). Un presidente con particular tendencia a reorganizar sus gabinetes o poner fin al ejercicio de las funciones de un ministro fue Fujimori: durante sus tres mandatos cumplieron su misión un centenar de ministros distintos.

Las caídas de tensión relacionadas con las crisis financieras de la última década corroboran, sin duda, esta visión de un continente con ataques de fiebre muy reales. Si bien la frecuencia de las crisis fue más elevada en América Latina que en cualquier otra región del mundo, durante la década de los noventa, la velocidad de la recuperación también parece haberse incrementado. En México fueron necesarios siete años para salir de la crisis de la deuda de 1982 y volver a los mercados de capital internacionales. Tras la crisis del Tequila, en 1994, bastaron apenas siete meses para emitir de nuevo obligaciones soberanas. Del mismo modo, en términos de crecimiento económico, las salidas de la crisis en 1995 y 1999, aunque más rápidas que las de 2002–2003, fueron menos estables que la salida de la crisis de 2003. En 2004, la región tuvo una tasa de crecimiento cercana al 6%. Por primera vez en un cuarto de siglo, todas las economías del continente registraron tasas de crecimiento positivas. Para el caso de Argentina, los historiadores y economistas Gerardo della Paolera y Alan Taylor estimaron, asimismo, que las salidas de las crisis se aceleraron en el transcurso del siglo XX: si tras las crisis de 1913–1914, 1929–1931 y 1980–1981 fueron necesarios seis o siete años para que el país recuperara sus cifras de crecimiento anteriores, en 1988–1990 sólo hicieron falta cuatro años, y apenas dos en 1994–1995.

Rapidez y lentitud para salir de las crisis en América Latina, 1990–2005

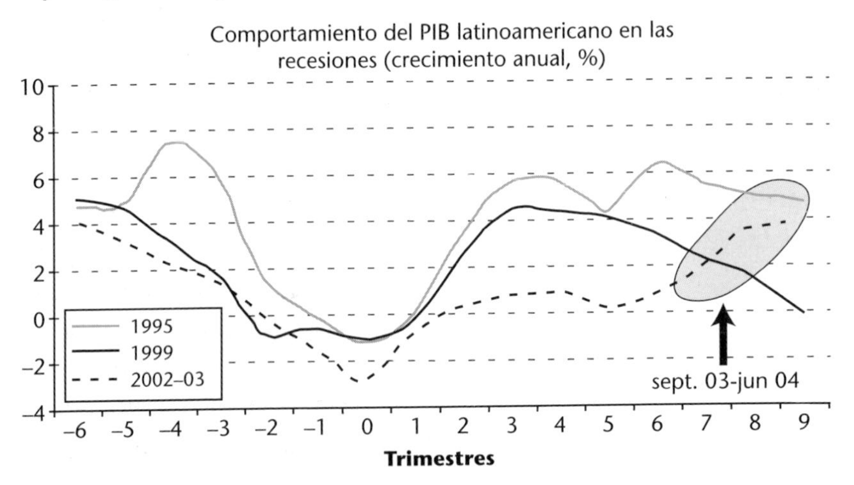

Fuente: BBVA, 2005.

Otro de los falsos estereotipos acerca de los países latinoamericanos es que se han ganado una sólida reputación de *serial defaulters*, es decir, de países que incumplen de modo recurrente sus obligaciones, o, lo que es igual, que no saldan sus deudas. La historia económica a largo plazo invita, sin embargo, a matizar estas apreciaciones. En los cinco últimos siglos, el récord de incumplimientos soberanos lo ostenta, en efecto, no un país latinoamericano, sino un país europeo. Con un total de trece incumplimientos soberanos entre el siglo XVI y el siglo XX, España se adelantó a sus primos latinoamericanos (entre ellos, Venezuela y Ecuador, ambos con nueve incumplimientos), pero también a sus colegas europeos (Francia y Alemania tienen un total de ocho incumplimientos, y se adelantan ellos también a los primeros lugares del palmarés).

No obstante, la historia económica demuestra que se puede salir de la trampa de la deuda. El ejemplo de España es notable desde ese punto de vista. Durante el siglo anterior, el país respetó todas sus obligaciones y modernizó su economía a una velocidad considerable. Más recientemente, en los años de anclaje a Europa, sus primas de riesgo sobre las obligaciones del Estado se redujeron considerablemente y se volvieron cada vez más insensibles a las sacudidas de los países emergentes. De ese modo, las diferenciales entre las obligaciones soberanas españolas y alemanas —es decir, en definitiva, las primas de riesgo españolas— disminuyeron. Al producirse la crisis de México de 1994, la diferencial era de más de 150 puntos básicos. Algunos años más tarde, cuando se desató la crisis rusa, era tan sólo de 50 puntos básicos. Al final de la década de los noventa, en la época de la crisis brasileña de 1999, la desviación había sido prácticamente reabsorbida, con apenas 15 puntos básicos de diferencial. Para las economías latinoamericanas, es una lección a tener en cuenta, sobre todo si consideramos que en esta región se concentraron, durante el siglo XX y en particular en las dos últimas décadas, la mayor parte de las suspensiones del pago de deudas: entre los cuatro principales *serial defaulters* figuran dos países latinoamericanos (Ecuador y Venezuela, que se equiparan en esto a Liberia y Turquía), y el mayor incumplimiento de la historia reciente, en valor nominal y absoluto, lo ostenta Argentina, país que ha sumado en toda su historia cinco incumplimientos.

Chile parece haber asimilado la lección. Tras incumplir cuatro veces a lo largo de su historia, redujo drásticamente su deuda externa en estos veinte últimos años. Ésta pasó de casi el 135% del PIB, en 1985, a aproximadamente el 30% en 2005, y ello siguiendo políticas económicas decididamente ortodoxas. De igual modo, si observamos la historia de los mercados financieros de la región, parece superada la época en que países como México podían vivir sin satisfacer la deuda, pasando la mayor parte de su tiempo incumpliendo los pagos. Si en el período 1825–1945 este país estuvo cerca del 60% de esos años incumpliendo el pago, tal situación duró menos del 10% del tiempo en el período posterior, de los años 1945–2005. Como España antes, como Chile en las últimas décadas, he aquí, por tanto, otra economía de la región que escapó de la trampa de la deuda y se erigió resueltamente en "país emergido".

El vals de los paradigmas

América es un continente donde las modas económicas han proliferado por doquier. Tal fue el caso de la ola liberal que ahogó a la región en la década de los noventa. Desplegándose durante varios años, abarcó prácticamente a todos los países, como lo hicieron antes las olas estructuralistas, las marxistas y, en su versión más latina, las olas *cepalinas* de las teorías de la industrialización mediante la sustitución de importaciones. Esta última ola económica oculta un mar de fondo más profundo, que se manifiesta hoy con la resaca y el reflujo de la marea liberal, sobre la cual queremos insistir aquí.

Llaman la atención el interés y la celeridad con que fueron aplicadas, en los últimos años, las políticas de liberalización o de privatización. Muchas de ellas fueron emprendidas sobre la huella de una crisis o de un deterioro de la situación económica, pues los períodos en que se presentan dificultades propician la puesta en práctica de reformas cuyo costo social es percibido por los dirigentes como un mal menor, si se lo compara con los beneficios que pueden esperarse de su implementación o con el costo de no hacer nada.

En materia de privatizaciones, por ejemplo, después de Chile, pionero en este aspecto desde 1974, Argentina emprendió quince años más tarde un audaz programa, con lo que fue prácticamente el estreno mundial de la desregulación del servicio de correos. Más al norte, en México, el número de empresas públicas fue dividido en muy poco tiempo por cinco, pasando de más de un millar, a principios de los ochenta, a un número inferior a doscientas en menos de una década. A comienzos de los años noventa, el conjunto de la región sumaba el 35% del total mundial del valor de las operaciones, frente al 6% de 1988. Esto convirtió a América Latina en una de las regiones donde las privatizaciones fueron más rápidas y profundas. La intensidad y la celeridad de estas transferencias de activos hacia el sector privado suponen, así, más de la mitad de los beneficios derivados de las privatizaciones en los países emergentes durante la primera mitad de la década de los noventa.

De igual modo, en materia de apertura comercial y libre comercio, el continente los experimentó a ritmo sostenido, como lo demuestra la proliferación de acuerdos bilaterales y multilaterales. Uno de los más importantes es, sin duda, el del Mercosur, firmado en Asunción, en 1991, por los países del Cono Sur y puesto en marcha oficialmente el 1 de enero de 1995. El ejemplo de México es aún más significativo. A pesar de su fuerte tradición proteccionista y nacionalista, firmó un tratado de libre comercio con Estados Unidos y Canadá, que entró en vigor el 1 de enero de 1994. Se trata de un cambio de envergadura, pues al antiguo paradigma de la estrategia autocentrada, denominada "estrategia de sustitución de importaciones", lo siguió una estrategia particularmente dinámica, de apertura e inserción positiva en los intercambios mundiales. México, uno de los países firmantes del GATT en 1986, se convirtió, así, en el único Estado del subcontinente que concretó un acuerdo de esa índole con los norteamericanos, como, asimismo, fue miembro fundador del Banco Europeo para la Reconstrucción y el Desarrollo (BERD), y además, en mayo de 1994 fue admitido en uno de los centros del liberalismo en este final de siglo: la Organización para la Cooperación y el Desarrollo Económico (OCDE). Hoy, prácticamente todos los países de la región se arremolinan en torno a Estados Unidos para conseguir un tratado de libre comercio, aunque sea minimalista, y los chilenos, imitadores por esta vez, llaman ahora a las puertas de la OCDE, años después de que México consiguió ser admitido en la organización.

Estas políticas económicas fueron dirigidas por una nueva generación de hombres, calificados —a veces, con precipitación— de tecnócratas, pero que, de la Argentina de Menem y Cavallo al México de Salinas y Zedillo, pasando por el Chile de los Chicago Boys y, más tarde, de Aylwin y Frei, tienen en común, en muchos casos, una formación académica realizada en el extranjero. Los ejemplos del mexicano Pedro Aspe o del chileno Alejandro Foxley, formados en el MIT (Massachusetts Institute of Technology) o en Wisconsin, y convertidos en ministros de Economía y Finanzas en sus respectivos países, ilustran cabalmente este relevo generacional de hombres que comparten cierta visión del mundo y valoran por igual el Mercado y la Democracia.

Lo más sorprendente de esta "gran transformación" latinoamericana residió, sin embargo, en la persistencia de figuras más novelescas que tecnocráticas. En efecto: la rapidez, la amplitud y la profundidad de las transformaciones experimentadas por numerosas economías del continente no habrían sido posibles sin la extraordinaria conjunción de una serie de factores, como lo fueron el rápido deterioro de las coyunturas económicas —que exigían cambios de rumbo— y la aparición de equipos económicamente hábiles que se beneficiaron de un singular paraguas político: el de los camaleones populistas, antiliberales el día anterior a las elecciones y neoliberales la noche misma de su llegada al palacio presidencial.

Se trata de personajes que surgieron hacia el final del siglo anterior y continúan a comienzos del nuevo milenio. Muchos de ellos imprimieron un extraordinario giro a sus posturas y expusieron a sus países a los tratamientos de *shock* impuestos por la medicina neoliberal. El arquetipo de ese camaleón latinoamericano es, sin duda, Carlos Menem, quien supo desplegar todo el repertorio del gaucho argentino y, al mismo tiempo, comprometer a su país en una de las transformaciones económicas más rápidas del continente. Cabría pensar, entonces, que los resabios nostálgicos del pasado autoritario, populista, clientelista o de las luchas armadas revolucionarias, a la vez que aparentan haberse esfumado, continúan aferrados a los restos de la fraseología de ayer. ¿Habrá que suponer que la conversión a las delicias de la democracia y del mercado no es, en parte, más que una fachada, que no es sino una nueva mascarada destinada a engañar, con el disfraz del Buen Liberal, a los inversores extranjeros?

Indudablemente, la conversión a la Democracia o al Mercado adquiere, a veces, características de permutación de paradigmas. Ciertas trayectorias intelectuales del continente demuestran hasta qué punto la adhesión a esos nuevos valores es, a veces, tributaria de cálculos de intereses, hasta qué punto tales adhesiones pueden analizarse en función de cálculos oportunistas. Sin embargo, la paradoja es sólo aparente, pues lo que hoy está en juego en América Latina no es tanto la emergencia de un nuevo paradigma, que sería aplicado con toda su rigidez conceptual, sino la adscripción a una economía más preocupada por la ética de las consecuencias que por la ética de las convicciones. La prioridad dada a las grandes teorías parece, efectivamente, desvanecerse, como lo demuestra el cambio de pensamiento de las grandes agencias multilaterales, no sólo del Banco Mundial, sino también, y sobre todo, en América Latina, de la CEPAL, de la Corporación Andina de Fomento o del Banco Interamericano de Desarrollo, en beneficio de políticas económicas más realistas, más atentas a la eficacia práctica que a la integridad ideológica.

En efecto: contrariamente a la paradoja antes esbozada, las conversiones al Mercado o a la Democracia invalidan esta idea de una simple permutación de paradigmas. Las conversiones de muchos intelectuales, economistas o políticos fueron amplias y profundas, alimentadas por decepciones y desilusión con respecto a las revoluciones. Además, las experiencias de la historia real de los autoritarismos latinoamericanos reforzaron, junto con la desilusión revolucionaria, la revalorización de la democracia y del mercado. En este sentido, más allá de las conversiones estratégicas, que respondieron a una mera dialéctica de los intereses, en muchos casos se trató de conversiones ideológicas, política e intelectualmente asumidas, que implicaron, a menudo, profundas y dolorosas autocríticas.

En algunos casos, estas conversiones fueron precoces, como la de Hernán Büchi, singular ministro de Pinochet, a cargo de las finanzas desde 1985 hasta 1989, de quien se comentan afinidades de juventud con el MIR (Movimiento de la Izquierda Revolucionaria), pero que rápidamente, desde su regreso de la Universidad de Columbia, en 1975, se volvió hacia los liberales de la Escuela de Chicago que comenzaban entonces a asociarse con los militares. Las conversiones fueron, asimismo, frecuentemente progresivas, alimentadas por los hechos de la historia o jalonadas de encuentros intelectuales, de pruebas y dudas, como lo ejemplifica la trayectoria del ministro de Economía de Aylwin, Carlos Ominami, también procedente del MIR y nacido políticamente a las ideas del Mercado y la Democracia a raíz del golpe de Estado de 1973. La conversión del propio Mario Vargas Llosa —cercano, durante largo tiempo, a diversos movimientos de la izquierda revolucionaria latinoamericana— se extendió así desde 1970, fecha en que estalló el problema del encarcelamiento del poeta cubano Heberto Padilla, hasta 1980, cuando descubrió el pensamiento del filósofo liberal Karl Popper, de quien más tarde se convertiría en uno de los mayores difusores en la región.

Resta por hacer aún el estudio de esas conversiones. Es cierto que numerosos autores han subrayado la importancia del factor internacional, el tiempo mundial de la *democracia de mercado* que se puso ampliamente en práctica en esta transformación de los marcos de referencia latinoamericanos. Pero, más allá de los factores exógenos, sean internacionales o nacionales, es posible comprender esos cambios de preferencias no como procesos lineales de aprendizaje, afectados por los sucesivos *shocks* de la historia, mundial o nacional, sino como itinerarios individuales sujetos a factores aleatorios de coyunturas. Para amplios sectores de las élites latinoamericanas, la Democracia y el Mercado se integraron o reintegraron a su abecedario político y económico y a sus horizontes de expectativas después de un largo proceso de desilusiones y desencantos con las ideologías y de experiencias prácticas. Del mismo modo, para muchos sectores de la Democracia Cristiana en Chile o para los reformadores mexicanos, por ejemplo, el Mercado vino a integrarse al marco de referencia porque las observaciones señalaban que, para garantizar los índices de crecimiento, había que darle prioridad a aquél por encima de la planificación estatal. La adhesión fue producto, entonces, tanto de las observaciones como de las convicciones. Esta noción de horizontes de expectativas permite comprender lo que ha estado presente en el corazón de las democratizaciones y de las liberalizaciones, esto es, el aprendizaje, el descubrimiento, incluso la creación y la adquisición, por parte de los agentes implicados, de nuevos mapas cognitivos y, sobre todo, de nuevos modos de hacer economía política.

Del utopismo al posibilismo

La gran transformación latinoamericana de fines del siglo XX no fue el advenimiento del Buen Liberal. No existe, como se podría creer, el tránsito de un paradigma a otro, sino la emergencia de un nuevo estilo cognitivo. Dicho de otro modo: se asistió al fracaso de las ideas de utopía política y de economía política de lo imposible, al fracaso de un estilo cognitivo en que la macroeconomía del populismo, al igual que el monetarismo purista de los Chicago Boys, no fueron más que defensas e ilustraciones suplementarias de lo mismo.

A lo que asistimos, de hecho, fue a la emergencia de una política de lo posible, más humilde, menos proyectada hacia el futuro y más centrada en el presente, una economía política más preocupada por la eficacia real que por la pureza conceptual. Esta emergencia consagró, particularmente, el fracaso de las convicciones que alimentaban la creencia en el provechoso sacrificio de los individuos en el altar de los grandes ideales de la historia; el fracaso de la idea —como escribió el filósofo británico Isaiah Berlin— "de que existiría en alguna parte, en el pasado o en el futuro, en una revelación divina o en el cerebro de algún pensador, en las exhortaciones de la historia o de la ciencia, en el corazón simple y bueno de un hombre íntegro, una solución última y definitiva".

En el corazón de los procesos de democratización política y de liberalización económica en América Latina está el reconocimiento implícito o explícito de la necesaria conciliación de los intereses y de los valores, siempre en conflicto. Se tiene la idea de que la realización de algunos de nuestros ideales puede, por definición, volver imposible la realización de otros; que, por ejemplo, la búsqueda de justicia para los perseguidos por las dictaduras puede implicar un riesgo no desdeñable de perder nuevamente lo conquistado por la democracia, y que ni las terapias de *shock* liberales ni las medicinas desarrollistas permiten alcanzar el nirvana del desarrollo económico.

Esta emergencia del posibilismo sobresale en el seno de diversas corrientes socialistas renovadoras, chilenas y brasileñas, por ejemplo, poco propensas en el pasado a transigir o a adoptar posturas no maximalistas. En Chile, los socialistas renovadores se embarcaron en un vasto proceso de transformación política, revalorizando de nuevo la democracia formal y abandonando una concepción instrumental de esta, para reconsiderar las leyes del mercado sin por ello ignorar sus límites. Este cambio no es específico de la izquierda latinoamericana, ni tampoco completo ni acabado. Se inscribe, en parte, en el marco del proceso de democratización política y de liberalización económica a lo largo del cual se experimentó un aprendizaje de lo posible, es decir, una dinámica de ajustes y reajustes de las preferencias.

La temporalización de la economía de mercado

La transformación de los marcos de referencia ha venido acompañada de una transformación temporal. Hemos podido comprobarlo al emerger la democracia en la región, pues estuvo acompañada de una inusual caída en el presente y de una devaluación de los horizontes temporales utópicos. En el ámbito económico, asistimos a una caída similar en el presente, al emerger temporalidades de horizontes breves, propios también de la economía de mercado. El paso de un marco de referencia dominado por la Revolución y el Estado a otro dominado por la Democracia y el Mercado da fe de este vuelco temporal, ya que los dos primeros conceptos son de horizonte temporal largo, y los segundos, de horizonte temporal más breve.

Como hemos visto, la Democracia implica un estrechamiento de los horizontes temporales, una consagración del presente en detrimento de futuros esplendorosos. Se trata de una temporalidad política muy diferente de la que conlleva la Revolución, donde domina un horizonte de expectativas escatológico. Por otra parte, el Estado es portador de una temporalidad propia, diferenciada de la del mercado, y el tiempo de los Estados-Nación modernos se ha impuesto al de las Iglesias, consagrando el probabilismo en detrimento del profetismo. Los descubrimientos de Bernouilli, del cálculo de probabilidades y de la estadística reforzaron la credibilidad del pronóstico político y de la previsión económica. Más adelante, el desarrollo de los husos horarios y la regularización del tiempo dentro de un mismo territorio permitieron coordinar el desplazamiento de los trenes y organizar la producción de la era industrial, mientras el Estado-providencia terminaba haciendo laico el tiempo de la providencia y lo amarraba a la maquinaria y a la ingeniería políticas. A lo largo de todo el siglo XX, el Estado desarrolló instrumentos de control de los sistemas de producción, paneles de comando e indicadores sociales destinados a garantizar el presente y el futuro de sus ciudadanos, a protegerlos contra los azares de la Providencia, a aumentar su bienestar y, sobre todo, su esperanza de vida. La temporalidad dominante fue, entonces, durante algunas décadas, la del largo plazo, ya que tanto los regímenes constitucionales como los regímenes comunistas aspiraban ambos, aunque de modo distinto, ciertamente, a los tiempos largos.

Las últimas décadas del siglo anterior vieron surgir, por el contrario, una temporalidad mucho más poderosa, ligada al capitalismo y a la economía de mercado. La perspectiva del tiempo real y el imperativo de rapidez, la carrera hacia el logro y la eficiencia, estuvieron acompañados por un achatamiento de los horizontes temporales, que obligó a los Estados a adaptar su velocidad de reacción a la de los mercados, nuevos dueños de los relojes. Dos lógicas temporales se vieron, pues, enfrentadas: por una parte, la de los Estados, garantes de la lentitud y de lo perdurable, y, por la otra, la de los mercados, ávidos de velocidad y de rendimientos a corto plazo. La irrupción del ámbito financiero, encadenado al corto plazo y a la velocidad, significó el último empujón para que el capitalismo se volcara hacia una temporalidad de horizontes breves y de tiempos reales. En tanto que la posesión de acciones americanas rondaba, en 1960, los siete años en promedio, al final del siglo XX apenas llegaba a los siete meses. En los mercados financieros, las órdenes de compra y venta pueden ejecutarse ahora con extrema rapidez. De igual modo, si a mediados del siglo pasado la publicación de los resultados anuales de las compañías en el mes de marzo del año siguiente parecía una proeza inigualable, en la actualidad, numerosas empresas norteamericanas cierran sus memorias anuales en las primeras semanas del año siguiente, es decir, tres veces antes de expirar el plazo de noventa días que otorgan las autoridades financieras. La estandarización de las normas de contabilidad y el apoderamiento de la economía real por el mundo de las finanzas empujan al conjunto de las empresas del globo a realizar ese *striptease* trimestral al que deben entregarse para poder participar en el "concurso de belleza" internacional y avivar el deseo de los inversores internacionales.

América Latina no quedó al margen de este empuje de las leyes temporales del mercado durante el siglo XX. En el ámbito económico, el achatamiento de las perspectivas temporales sobre el presente inmediato lo ilustra el ajuste estructural, que fue, ante todo, un ajuste temporal. A la economía estructuralista, que iba en busca de horizontes estables en donde desplegar estrategias de industrialización y de sustitución de importaciones, la siguió una economía mucho más abierta, en un tiempo mundial que también se aceleró. La historia económica de la última década no fue, de hecho, sino la del ajuste de todo un continente a ese tiempo mundial acelerado, dominado ahora por las temporalidades breves de la economía de mercado. Desde este punto de vista, los procesos de liberalización, de desregulación o de privatización pueden ser entendidos como una temporalización de la economía. Privatizar es también privilegiar lo inmediato, los ingresos financieros rápidos, la rentabilidad a corto plazo, y aligerar al Estado de su capacidad de actuar sobre la relojería económica, de planificar el futuro económico del país a golpes de estrategias industriales y de regulaciones sectoriales.

Uno de los ejemplos más significativos de esta temporalización de la economía en América Latina es el de la privatización de los sistemas de jubilación. Emprendida en Chile a comienzos de los años ochenta, en la década siguiente fue adoptada por la mayoría de los países del continente. Esta reforma transfirió del ámbito público al privado la tarea de asegurar el futuro. Dicho de otro modo, el Estado le transfirió al Mercado su capacidad de asegurar el futuro de sus ciudadanos. La certeza, garantizada por el Estado, de disfrutar de cierta seguridad financiera una vez llegada la edad de la jubilación se desplazó a la esfera de la economía de mercado. Luego, será principalmente este último (si bien con el Estado a su sombra, mediante una minuciosa regulación del sector), con sus alzas y bajas, el que garantizará los ingresos futuros y las rentas de los jubilados. El Estado cedió, así, su capacidad de asegurar el futuro a quien se ha convertido en el nuevo "dueño de los relojes", es decir, el Mercado. Mientras el mercado esté en alza, como fue el caso en Chile hasta 1995 (un 12% de rendimiento anual para los fondos de pensiones), la continuidad de las jubilaciones estará asegurada. El mercado, nuevo dueño del tiempo, y en particular del futuro, se muestra indestronable. Sin embargo, cuando las pérdidas se acumulan (en 1995 se elevaron a una media del 2%), se imponen los cortafuegos: el otro dueño de los relojes, el Estado, debe irrumpir de nuevo con su arsenal de regulaciones y ajustes.

Es paradójico que el término "globalización" oculte una metáfora puramente espacial. La globalización, si por este término tan manido entendemos el triunfo de la economía de mercado, constituye quizás, y sobre todo, una realidad temporal. En este sentido, podría entenderse como una compactación del espacio y el tiempo.

Los costos de transporte de un lugar a otro del globo se han reducido considerablemente, tanto desde el punto de vista financiero como del temporal. La reducción de estos costos, gracias a la mejora de las infraestructuras viales, portuarias o aeroportuarias, se ha convertido en un activo estratégico en la carrera mundial de la competitividad. Los trámites aduaneros constituyen tapones que provocan estrangulamientos temporales a veces importantes: en Estonia, por ejemplo, las formalidades aduaneras para las importaciones se resuelven en apenas 48 horas, mientras que en Ecuador el plazo se estira a 16 días, según los estudios del Banco Mundial sobre el "clima de inversión".

La debilidad de la infraestructura en materia de transporte constituye una traba para la inserción latinoamericana allí donde los costos y la rapidez en el transporte de mercancías representan ventajas comparativas decisivas. Los plazos y los tiempos de espera para atravesar las fronteras y completar los diferentes formularios aduaneros —otros tantos tiempos muertos desde el punto de vista económico— pueden alargarse hasta cinco días en el eje Río de Janeiro-Valparaíso o, incluso, en el San Pablo-Buenos Aires. En Centroamérica, los plazos y tiempos de espera pueden representar hasta el 40% de la duración de un viaje comercial. En materia de transporte marítimo, los plazos que se registran en América Latina, calculados en días hábiles, son dos veces superiores a los de Estados Unidos. A excepción de Chile (tres días) o México (cinco días), en cuyos puertos los plazos aduaneros son similares a los de los países desarrollados, el resto de los países latinoamericanos acumulan bolsas temporales de pérdida de tiempo y eficiencia, tiempos muertos cuya eliminación permitiría acelerar las exportaciones, tanto dentro de la región como fuera de ella.

Los progresos potenciales en cuanto a reducción de costos de transporte siguen siendo relativamente importantes en América Latina. Las privatizaciones y las políticas de competitividad llevadas a cabo por algunos países han permitido, en efecto, mejorar los servicios de manera notable. En materia portuaria, por ejemplo, los plazos de espera de los contenedores en los puertos colombianos han pasado de una duración media de unos diez días a sólo unas horas, merced a la privatización de los operadores portuarios. Pero las diferencias en este aspecto siguen siendo considerables en comparación con otros países, como China, que se va imponiendo en el escenario comercial internacional. Con relación a la infraestructura portuaria (que concentra cerca del 80% del total del comercio de los países desarrollados), Hong Kong aparece como uno de los puertos más eficientes del mundo. En el caso de México, la mejora sustancial en esta materia le permitiría responder al desafío de competitividad chino, dado que cuenta con una ventaja estratégica incomparable: su proximidad al mercado más vasto y dinámico del mundo. En efecto: para transportar un producto desde Centroamérica hasta Estados Unidos se necesitan, en promedio, seis días, contra los veinticuatro días que demora el traslado desde China. Por tanto, los costos temporales juegan sobradamente en favor de los mexicanos. Esta ventaja espacial y temporal, como lo subrayan los estudios de geografía económica, está lejos de ser desdeñable en materia de costos: por cada jornada de transporte por mar, la probabilidad de que las compañías norteamericanas importen desde China se reduce un 1%.

En la esfera de la economía real, la temporalidad mundial está dominada por la búsqueda frenética de rentabilidad y productividad, las cuales exigen una gestión cuidadosa de los plazos de aprovisionamiento y entrega, de las compresiones temporales, es decir, el acortamiento de los plazos, para evitar los almacenamientos improductivos. Bajo la presión de estas nuevas exigencias, las empresas limitan sus estrategias al horizonte temporal de las memorias anuales, o bien trimestrales, mientras los ciclos de vida de los productos se acortan en la misma medida. El tiempo se convierte en el activo estratégico por excelencia, y, dada la obsolescencia cada vez más rápida de los productos, la velocidad de penetración en un mercado es un factor clave de éxito o fracaso. El mercado del trabajo también está sujeto a estas compresiones temporales. Los empleos perpetuos han quedado relegados al papel de reliquias de museo del capitalismo de otros tiempos, pues hoy en día predominan los empleos temporales.

La expresión más cabal de las temporalidades económicas modernas se da, sin duda, en el mundo de las finanzas. En el ámbito financiero, el tiempo real deja paso a un tiempo cada vez más inmediato, hecho de aceleraciones y anticipaciones, un tiempo que viene del futuro para comprimir los márgenes temporales del presente. Lo más característico de los mercados financieros es, efectivamente, que desmontan hasta las anticipaciones más remotas y deshacen las sincronizaciones del presente. Una de sus paradojas consiste en que son capaces de dar respuesta a la pregunta del famoso físico Stephen Hawking, quien, en el preámbulo de uno de sus ensayos, se interroga acerca de la razón de que nos acordemos del pasado y no así del futuro. En muchos sentidos, los mercados se acuerdan del futuro. Gracias al juego de las anticipaciones y de los arbitrajes intertemporales, tienen la capacidad de transformar las conjeturas del futuro en coyunturas efectivas, los improbables pronósticos futuros en acontecimientos tangibles. De ese modo, achatan los horizontes temporales contra el presente inmediato.

Lejos de los laboriosos procesos de ajuste de las economías reales, las anticipaciones de los mercados financieros pueden llevarse a la práctica inmediatamente por medio de reestructuraciones de carteras canalizadas a través de los monitores Bloomberg. En el reducido espacio de unos centímetros cuadrados, se ajustan y desajustan paneles enteros de economías reales, países y empresas atrapados en la trampa de exuberancias financieras a veces irracionales. Las inquietudes de los *traders* y gestores de carteras, surgidas a partir de un acontecimiento potencial, anticipado a algunos meses o años vista, se transfieren directamente al presente inmediato, donde tendrán impactos reales. Esta frenética temporalidad es, igualmente, la de un tiempo perpetuo, pues el sol no se pone en los mercados financieros. Como lo muestra el juego de los husos horarios, tanto para los mercados emergentes como para los mercados de los países desarrollados, los arbitrajes financieros no se interrumpen nunca. Siempre,

El presente omnipresente de los mercados financieros: husos y franjas horarias de los mercados emergentes

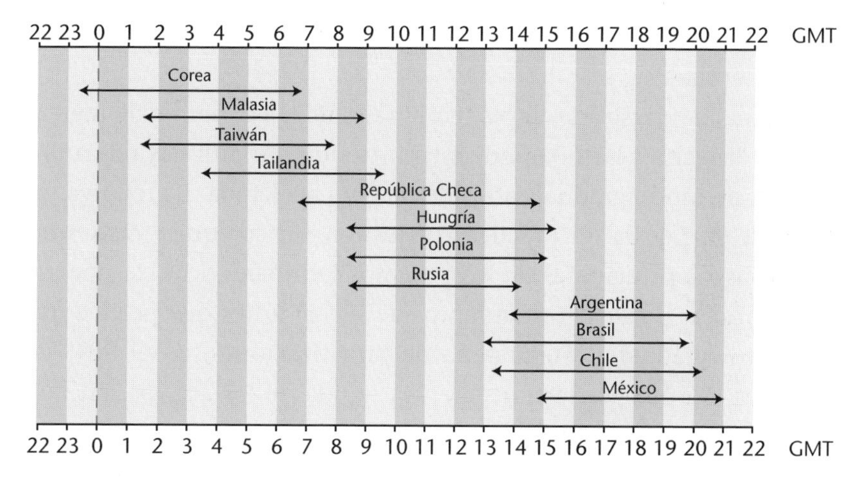

Fuente: Gebka y Serwa, 2004, basado en un documento de trabajo de estos autores, pertenecientes al Departamento de Economía de la European University Viadrina de Francfort (Oder).

a toda hora, hay alguna plaza financiera abierta, el baile de las cifras no se interrumpe jamás, el presente es omnipresente.

Por lo tanto, es en un contexto inestable, de horizontes breves y aceleraciones repentinas, de búsqueda de rapidez y de tiempos reformadores, donde deben navegar las economías emergentes. Sus instrumentos de a bordo son, a menudo, rudimentarios: algunas brújulas y astrolabios macroeconómicos, monetarios o fiscales, que intentan eludir los riesgos de la deriva. Los ajustes estructurales a que estuvieron sometidos los países latinoamericanos en los años noventa se inscriben, así, en esta temporalidad de la economía de mercado y financiera. Las privatizaciones se realizaron, en general, a toda velocidad, para permitirles a los gobernantes engordar inmediatamente sus cajas sin pasar por la lenta, impopular y dolorosa transformación de sus sistemas fiscales. Para las empresas, y en particular para las empresas extranjeras que se precipitaron sobre el oro de las Américas, las privatizaciones se convirtieron en otras tantas ocasiones de adquirir rápidamente importantes cuotas de mercado sin pasar por el lento, penoso y largo proceso de creación de empresas, sobre todo en países donde los plazos y los obstáculos son múltiples y de tal naturaleza, que pueden anular la ventaja competitiva de la celeridad.

Para adaptarse a las leyes temporales de la economía de mercado, los dirigentes latinoamericanos introdujeron amplias reformas, algunas de modo gradual, otras de manera acelerada. La relativa rapidez de su puesta en práctica constituyó, en cualquier caso, uno de los rasgos principales de los procesos latinoamericanos, pues se prefirió optar por los "tratamientos de *shock*" antes que por los tratamientos graduales. En materia de privatizaciones, en el 90% de los casos se optó por la transferencia rápida de los activos. En menos de cinco años, entre 1990 y 1995, fueron más de setecientas las empresas que pasaron de las manos visibles del Estado a las manos invisibles del mercado. También en materia de estabilización de la inflación, el 70% de los veinticuatro países estudiados pusieron en práctica terapias de *shock* aplicadas bajo el signo de la urgencia. Esta rapidez en algunos ámbitos contrastó, sin embargo, con un mayor gradualismo en otros. En materia de apertura comercial, los partidarios de liberalizaciones rápidas representaron tan sólo el 50% de los casos, y en materia fiscal, apenas el 25%, en el apogeo del período reformador, es decir, a mediados de la década de los noventa, según las estimaciones y los estudios del BID.

Las desregulaciones económicas prosperaron en todo el continente, intentando acortar los plazos, reducir los tiempos muertos, considerados como intersticios temporales que propician la corrupción y las desventajas comparativas. Los márgenes de maniobra eran, de hecho, importantes, con amplias desigualdades temporales entre países desarrollados y países en desarrollo. En las economías desarrolladas, los plazos para la creación de una empresa son, en efecto, relativamente cortos comparados con los extraordinariamente dilatados de las economías emergentes. Como lo revela en *El otro sendero*, el economista peruano Hernando de Soto calculó, en 1983, el costo temporal de llevar a cabo todos los trámites burocráticos y finalizar la creación de una empresa. En total, los trámites se prolongaban entonces durante 289 días. Veinte años más tarde, tras la reforma estructural de los años liberales, el ajuste temporal fue drástico: el tiempo necesario para la creación de una empresa se ha dividido por tres (100 días). El camino que le queda por recorrer a Perú sigue siendo, no obstante, considerable si comparamos este resultado con el de los campeones del ajuste temporal, que son Australia, Nueva Zelanda y Canadá (plazos de 2 o 3 días), o el de Chile, campeón latinoamericano, junto con Panamá, de los plazos breves (28 y 19 días, respectivamente), o incluso con países europeos (entre ellos, Francia, que ostenta plazos de 53 días). Cabe mencionar que con estos plazos reducidos ya a unos 100 días, en la práctica, Perú se adelantó, en esta caza de los tiempos muertos, a algunos países europeos, como España, donde los plazos se alargan hasta los 115 días.

El ajuste temporal en América Latina a principios del siglo XXI: plazos para la creación de empresas (en días)

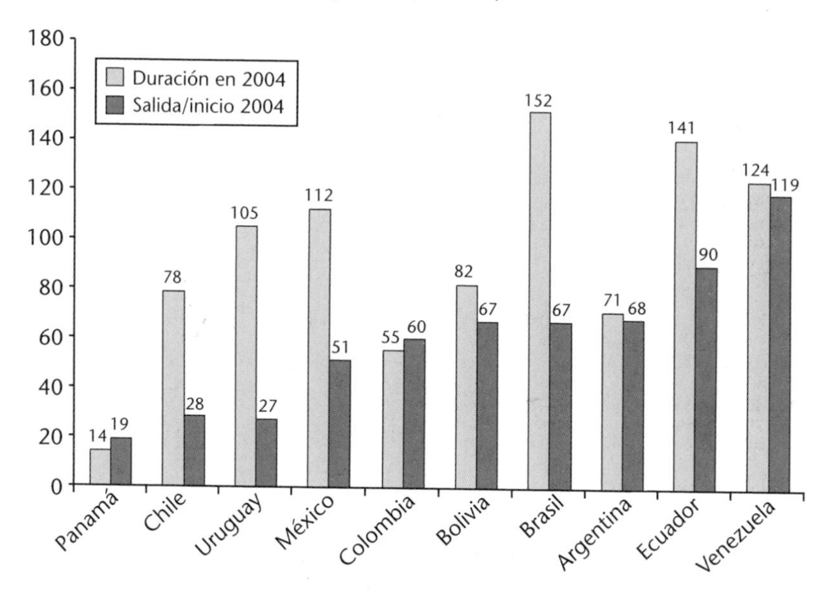

Fuente: Javier Santiso, 2005, según datos del Banco Mundial, del Foro Económico Mundial y del Center for International Development de la Universidad de Harvard, 2004.

Sin embargo, en 2000, el número de trámites para crear una empresa era, en promedio, más elevado en América Latina (13,5) que en cualquier otra economía (9,6). Los plazos para completar los trámites eran también más largos (93 días de media en América Latina, frente a 58 fuera de ella), y el tiempo dedicado por los gestores de las compañías a los burócratas, superior (26% de su tiempo en promedio, frente a menos del 22% fuera de ella). Estudios del Banco Mundial permitieron comprobar, no obstante, progresos extraordinarios, en ciertos casos, entre el año 2000 y el 2004: en prácticamente todos los países de la región se acortaron los plazos para la creación de empresas. En algunos, como Brasil, México o Chile, la reducción fue superior a un 50%. Uruguay ostenta el récord en esta materia, con una drástica reducción del 70% respecto de los plazos iniciales.

El ajuste temporal se reflejó, de igual modo, en el ámbito judicial, con la búsqueda de la reducción del número de trámites y plazos. Los inversores extranjeros directos participaron también decididamente en esta búsqueda de rapidez. En el sector eléctrico, por ejemplo, la caza de los cortes, de los tiempos muertos, y la reducción de los plazos de conexión fue sistemática. Asimismo, en el sector de las telecomunicaciones, los nuevos operadores se esforzaron por reducir los plazos de espera para la instalación de una línea telefónica. Así, en San Pablo, el operador privado español Telefónica acortó sustancialmente el plazo de instalación, que pasó de 40 a 5 meses entre 1997 y 2001. En Argentina, el plazo se redujo de 49 meses (un récord de lentitud) en 1994 a un prodigio de velocidad de instalación, 1 mes, en 2001. Este ajuste temporal fue particularmente sorprendente en el caso peruano, donde el plazo de instalación de líneas telefónicas podía llegar a 72 meses en 1994, una eternidad si se lo compara con los 3 meses de principios del siglo XXI. En el caso de México, los plazos de espera para la instalación de nuevas líneas pasaron de casi 900 días a menos de 30.

No obstante, quedan aún otros casos en que la lentitud es exasperante. En América Latina es necesario realizar once trámites para crear una empresa, es decir, dos trámites más que en los países del

Asia del Sudeste. También son más largos los plazos: 70 días en promedio en 2004, frente a sólo 46 días en el Asia del Sudeste. Cabría mencionar, igualmente, los obstáculos de índole temporal que inhiben la rapidez de circulación de las mercancías. En esta carrera contrarreloj que es la competitividad, parece que las dinámicas de integración regional actúan como catalizadores. Según la edición de 2005 del mismo estudio del Banco Mundial, el 60% de las reformas destinadas a reducir los plazos burocráticos y acelerar la creación de empresas fueron emprendidas dentro de la Unión Europea (un tercio en los países de Europa del Este adheridos a la Unión). Colombia, que se halla en negociaciones con Estados Unidos para suscribir un tratado de libre comercio, es el único país latinoamericano que figura entre los diez principales reformadores. En total, los nuevos datos del estudio de 2005, en comparación con los de 2004, confirman que la carrera contrarreloj se ha intensificado: 58 de los 145 países que figuran en la muestra de los informes *Doing Business* simplificaron los trámites, reforzaron los derechos de propiedad o facilitaron el acceso a la financiación de las compañías.

Asimismo, en materia de tiempo de conexión de líneas telefónicas, se mantiene la disparidad, como lo destacan los estudios realizados por el Banco Mundial acerca del clima de inversión. Las empresas declararon que el tiempo que deben aguardar para la conexión de líneas es, en promedio, similar en Brasil (18 días) y en China (15 días). Este lapso de espera es mucho más prolongado en otros países, como Honduras, donde se alarga hasta cerca de 140 días. En esta carrera de velocidad que es la competitividad, se mantienen claramente las distancias, que son considerables de un país a otro, pero también dentro de un mismo país. Hay diferencias sustanciales entre Shangai, donde bastan 13 días para tener una nueva línea telefónica, y Pekín, donde se necesitan 21 días. Asimismo, en Brasil, las diferencias son importantes de una región a otra, y algunas encajan mejor que otras en las temporalidades mundiales.

Este ajuste temporal puede leerse a la luz de las variables macroeconómicas. Una de las transformaciones más resonantes y positivas fue la de las políticas monetarias. Durante la década de los ochenta, en algunos países la inflación alcanzó picos máximos: cerca del 600% en Brasil como media, 800% en Argentina, 1.200% en Perú, ¡más de 5.000% en Nicaragua! Sin embargo, en apenas unos años la hiperinflación fue frenada y las tasas de inflación se estabilizaron en forma duradera. A partir de 2000, pasaron a situarse por debajo del 10% para el conjunto de la región.

Tasa de inflación: termómetro de la preferencia por el presente

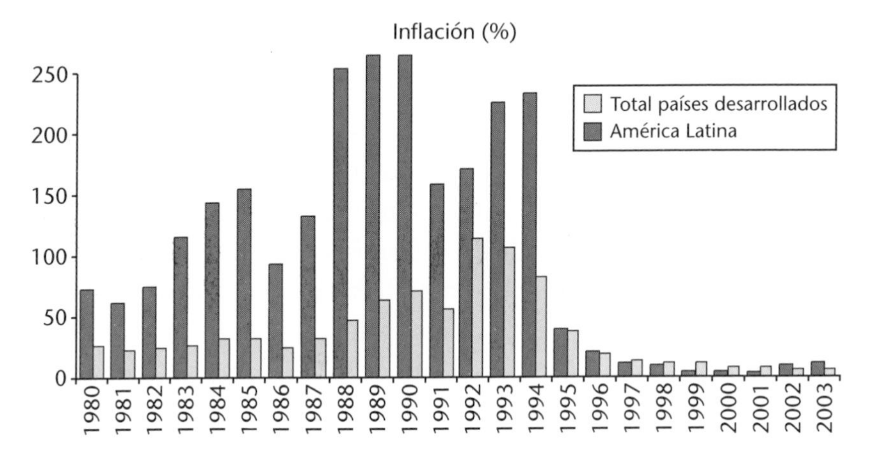

Fuente: BBVA, 2005.

Esta convergencia hacia niveles bajos de inflación viene a corroborar una transformación temporal de gran importancia, pues la inflación es un verdadero indicador de las preferencias temporales de las sociedades. Cuando alcanza niveles elevados, los horizontes temporales se estrechan, los estados se vuelven incapaces de proyectarse hacia el futuro, las empresas no pueden producir conforme a las leyes de la oferta y la demanda, y las familias se ven imposibilitadas de ahorrar, ya que la erosión monetaria comprime todos los horizontes contra el presente único. Desde este punto de vista, los años ochenta, marcados en América Latina por la hiperinflación, estuvieron caracterizados por la caída en el presente. Como consecuencia de ello, al controlar la inflación, los estados pudieron dotarse otra vez de una perspectiva y una visión de futuro, las empresas pudieron ajustar sus precios y volúmenes de manera eficiente, y las familias volvieron a consumir y ahorrar sin padecer la subida incesante de los precios. Los años noventa fueron, en este sentido, los de la reconstrucción, ciertamente limitada, de un horizonte temporal más estable y menos utópico.

A pesar de los progresos económicos ligados a ese esfuerzo reformador, los márgenes de maniobra siguen siendo amplios. Es cierto que América Latina se ha comprometido, en las últimas décadas, en una amplia tarea reformadora. Para algunos, sin embargo, las reformas siguen siendo incompletas, y otras se han revelado decepcionantes. Lo que predomina hoy en el conjunto de la región es la insatisfacción. Se ha intensificado incluso, si damos crédito a los sondeos anuales de *Latinobarómetro*: desde 1997, el número de personas que califica la situación económica como mala ha aumentado en 14 de los 17 países analizados. Además, una amplia mayoría de los latinoamericanos perciben ahora las privatizaciones, juzgadas positivamente en otra época, como no beneficiosas, puesto que sólo una de cada cuatro personas considera hoy que las privatizaciones han sido positivas para el país, cuando hace apenas diez años eran más de la mitad los que apoyaban estas reformas.

El descontento está directamente vinculado a los escasos resultados en cuanto a crecimiento económico. La percepción negativa que tiene la población latinoamericana parece reflejar, más bien, el desencanto con respecto a procesos ambiciosos, a menudo presentados como panacea de todos los males del continente. En el caso de las privatizaciones, uno de los defectos de los procesos emprendidos deriva de la debilidad de las instituciones y de su corolario: elevados riesgos de corrupción. De hecho, como se ve en el gráfico adjunto, hay una relación importante entre la oposición a la privatización y el índice que une la amplitud de la privatización y el grado de corrupción. En un país como Chile, donde las privatizaciones fueron amplias en un contexto de poco riesgo de corrupción, el apoyo a estos procesos sufrió una erosión sensiblemente menor.

La percepción negativa acerca de las privatizaciones remite, por tanto, a deficiencias institucionales. La población tiene la convicción de que incluso en el hipotético caso de que también ella se beneficiara con el proceso, las ganancias de las élites políticas y económicas serían bastante más elevadas. Numerosos estudios destacan, de hecho, que las privatizaciones de los sectores de servicios, agua, telecomunicaciones o electricidad, tanto en Argentina como en Bolivia, Nicaragua o México, han sido positivas para los consumidores. A pesar de las frecuentes alzas de tarifas, el acceso a los servicios mejoró considerablemente, e incluso se extendió a las poblaciones menos favorecidas. Entre estas últimas no sólo no disminuyó, sino que aumentó, el uso de estos servicios tras las reformas, como ocurrió en Brasil, Colombia y también Perú. Por otro lado, si bien los procesos fueron acompañados de amplias reestructuracio-

Corrupción y oposición a la privatización en América Latina

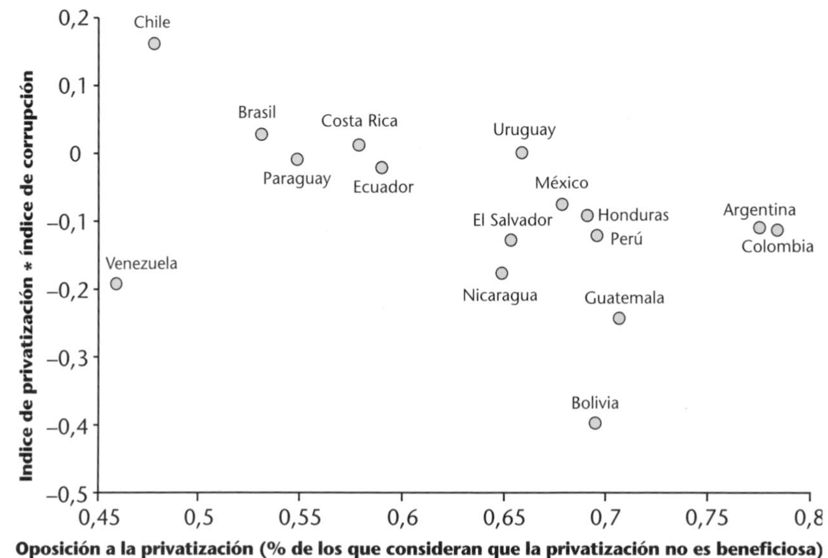

Fuente: Lora y Panizza, 2003.

nes y drásticas reducciones de la plantilla, un número importante de personas consiguieron reinsertarse durante los cinco años siguientes (45–50% en Argentina, 80–90% en México). Pero los efectos pueden ir más allá de la pura lógica mercantil. En Argentina, por ejemplo, la privatización de los servicios de aguas fue acompañada de una reducción del 5–10% de la tasa de mortalidad infantil.

Los estudios realizados por los economistas de la CEPAL y del BID revelan que el impacto de las reformas, aunque modesto y a veces (muy) imperfecto, fue positivo, aun cuando en materia social los indicadores de pobreza corroboran que aquéllas no consiguieron revertir la tendencia. Se trata, sin embargo, de un impacto temporal y revisado a la baja a principios de 2000, sobre todo en materia social. Las primeras estimaciones preveían que se podían lograr cerca de dos puntos adicionales de crecimiento, pero estimaciones más recientes reflejaron un impacto en el crecimiento inferior a un punto durante la década de los noventa. La aceleración del crecimiento prometida y esperada tras las reformas no se produjo. Algunos países terminaron, incluso, su carrera con dramáticos accidentes macroeconómicos, como fue el caso de Argentina en los primeros años de 2000. De hecho, la tasa de crecimiento del PIB por habitante en la región fue, en promedio, relativamente modesta, a pesar de los impulsos reformadores: apenas el 1,5% en la década de los noventa. Este resultado, aunque superior al de la década precedente (–0,6%), sigue siendo, no obstante, inferior al de los campeones del Asia del Sudeste.

El debate sobre las bondades y las limitaciones de estas reformas se ha intensificado en los círculos académicos. Paralelamente, nuevos "consensos", como el de Porto Alegre en 2002 o el de Barcelona en 2004, aportaron sus matices políticos. Sin duda, los artífices de esta ola de reformas llamadas "de primera generación" pecaron de optimismo o de credulidad acerca de recetas económicas minuciosamente elaboradas lejos de la somnolencia tropical de la extrema pobreza. La buena noticia es que el tiempo de los profetas parece haber quedado atrás. El ambiente ha cambiado para dar paso a los matices: ahora se les da la espalda a los defensores del Mercado y del

Estado. El Estado no es ya el hacedor de milagros pregonado por numerosos economistas, ni el Mercado es esa divinidad todopoderosa adulada en su momento por los apóstoles de la Escuela de Chicago. La insistencia sobre los defectos del Mercado, sobre las instituciones o incluso sobre las interferencias intempestivas del poder público en la economía evidencia, en definitiva, el mismo reflujo: el de las grandes mareas ideológicas. El lecho reformador latinoamericano parece dejar paso a un limo bastante más prometedor, ecléctico y fértil.

De hecho, y contrariamente a las visiones por demás pesimistas con respecto a la región, los latinoamericanos, si bien hacen una lectura negativa de los procesos de privatización, no por ello confunden el trigo de la economía de mercado con la paja liberal. En 2003, cerca de dos tercios de los latinoamericanos seguían convencidos de que la economía de mercado y la democracia eran las mejores vías posibles para alcanzar el desarrollo económico y político. Los sondeos del año 2004 confirmaron luego esa tendencia. Uno de los resultados más sorprendentes es, sin duda, la comprobación de que la mayoría de los latinoamericanos continúan considerando a la economía de mercado como el sistema económico que mejor puede contribuir al desarrollo: en ciertos países, como México, Brasil, Colombia, Perú o incluso Venezuela, llegan al 60–70% los que así piensan, y el porcentaje es superior al 50% en todos los demás.

El malestar latinoamericano en cuanto a las reformas liberales de los años noventa es ciertamente real. Prueba de ello son el rechazo a las privatizaciones en numerosos países andinos, las protestas antiglobalización en Perú o en Bolivia, o la llegada al poder de dirigentes que no comparten la agenda liberal de sus predecesores, como Hugo Chávez en Venezuela, Néstor Kirchner en Argentina, Lucio Gutiérrez en Ecuador o Evo Morales en Bolivia. Aun así, el fantasma de una América Latina nuevamente obsesionada por sus demonios autoritarios, populistas o dirigistas parecería una lectura exagerada. La realidad latinoamericana no puede ya contemplarse como la de las aguas cristalinas y las grandes soluciones definitivas. Presenta, más bien, un paisaje de aguas turbias, donde se confunden a la vez estatalización y liberalismo, utopismo y pragmatismo, y donde los dirigentes no tienen ya carta blanca para ensayar sus medicinas y sus terapias en el cuerpo social, donde la prudencia macroeconómica vence a cualquier aventura fiscal o monetaria.

Sin duda, el tiempo de las grandes expectativas ha terminado, y con él, también el de los encantamientos democráticos y las amplias reformas con ajustes estructurales. Parece, además, que no debemos lamentar en absoluto el fenecimiento de los grandes impulsos reformadores: un minucioso estudio, dirigido por un equipo de economistas de Harvard, encabezados por Ricardo Hausmann y Dani Rodrik, que analiza 83 casos de crecimiento sostenido (superior a dos puntos porcentuales durante un período de al menos ocho años), ocurridos en el mundo entre 1957 y 1992, muestra que la mayoría de esas aceleraciones económicas no estuvieron en absoluto precedidas por *big bangs* reformadores o por grandes rupturas políticas o económicas. Si las reformas son necesarias para mantener la velocidad de crecimiento, una megalomanía inicial parece poco adecuada para instaurar un crecimiento duradero.

Más pragmáticos, menos paradigmáticos, más modestos en sus progresos reformadores, los dirigentes latinoamericanos avanzan desprendidos de las grandes ilusiones de ayer. De Chile a Brasil, pasando por México, como deseamos mostrar, se inventan trayectorias posibilistas que, como todas las aguas turbias, se mezclan, aquí y allá, con las corrientes siempre presentes de los buenos liberales y los buenos revolucionarios.

Capítulo 4

La trayectoria chilena: del liberalismo al posibilismo

Chile es presentado a menudo como ejemplo del perfecto Buen Liberal, la apoteosis de la trayectoria económica neoliberal en América Latina. Premiado con el éxito, el país aparece hoy adornado con todas las virtudes económicas y todas las aureolas liberales. Esta lectura es, sin embargo, simplista, pues la gran lección chilena no estriba en haber adoptado ciegamente un paradigma, sino en haberse alejado progresivamente y de manera duradera de toda fiebre ideológica. Lo que prevaleció durante las últimas décadas fue, ante todo, la búsqueda pragmática de un crecimiento con equidad, una trayectoria libre de modelos, sea de inspiración estructuralista o liberal.

En Chile, durante la década de los ochenta, la actitud de los opositores y de los gobernantes se volvió cada vez más pragmática. Estos últimos, en particular, comprendieron que el apego a la ética de la convicción los conduciría a esa reversión más inmoral que sería la reconducción a un autoritarismo ávido de antítesis, dictatorial en política y liberal en economía. Durante los años sesenta y setenta, lo que predominaba era el radicalismo, posiciones políticas extremas que justificaban sacrificarlo todo en el altar de la ética de las convicciones. El país se transformó en un auténtico laboratorio, donde, paradigma tras paradigma, la política consistía en un despliegue incesante de futuros, una sucesión indefinida de rupturas, sin ajustes y reajustes graduales posibles. Ya fuesen las políticas de la "revolución en libertad" de Eduardo Frei, en los años sesenta, o las de la "revolución socialista" de Allende y las de la "revolución liberal" de los Chicago Boys, en los años setenta, todas trajeron consigo fuertes características teleológicas y se configuraron según una misma matriz revolucionaria y utópica.

Dicho de otro modo, la gran inflexión en la historia chilena no fue el trágico año 1973, sino, más bien, la crisis de la deuda latinoamericana y la crisis bancaria chilena, ambas a principios de los años ochenta. A partir de ese momento, de esta coyuntura crítica del año 1982, y bajo la presión de una de las crisis económicas más severas de la historia chilena y latinoamericana, surgió un enfoque más pragmático de las políticas económicas. La gran noticia que nos llegó de Chile fue, precisamente, la de una liberación: los dirigentes chilenos, tanto de izquierdas como de derechas, ya no se fiaban de los modelos a ultranza.

Acabar con las políticas económicas de lo imposible

Desde el punto de vista de las políticas económicas, evocadas por algunos como las de las "ideologías del sacrificio" y las de los "momentos de planificación global", se trate de sus versiones estructuralista, socialista o monetarista, todas comparten la misma filiación, un mismo molde: el del utopismo como ruptura con el antiguo orden económico y político, y como proyección hacia un futuro lejano, una tierra prometida cuyo camino señalaban, por turno, el comunitarismo, el marxismo o incluso el liberalismo. "La tendencia del espíritu de la época —escribió el historiador chileno Mario Góngora a propósito de los años 1960–1980— era que todo el mundo propusiera utopías (es decir, grandes planificaciones) y moldear el futuro basándose en ellas". De Alessandri a Pinochet, fue la clase política chilena en su conjunto la que quedó atrapada por la pasión por el futuro y las políticas económicas de lo imposible. Del socialismo mesiánico de Allende a la utopía tecnocrática de los Chicago Boys, el discurso y la práctica económica continuaron impregnados del mismo deseo de querer delimitar, por medio de las palabras y los números, proyectos y programas económicos con la vista puesta en el horizonte de una "revolución inminente", a veces social, a veces liberal. En el transcurso de estos años de gran densidad ideológica se desplegó toda una economía política apuntalada en el advenimiento de una sociedad sin clases unas veces y sin Estado otras.

En ese sentido, el golpe de Estado de 1973 y los Chicago Boys de los primeros años de la revolución neoliberal no significaron una ruptura, sino más bien un episodio más del vals (¿o la guerra?) de paradigmas. La mayoría de las fuerzas políticas no se orientaron, hasta los años ochenta, hacia un realismo renovado. La crisis de la deuda de 1982 y el horizonte plebiscitario de 1988[1] funcionaron como acicates de esta transformación. Sólo después de la crisis de 1982–83 el país optó por las políticas económicas de lo posible, reformas macroeconómicas más adaptadas. Bajo la presión de los acontecimientos, la política neoliberal practicada por los economistas de Chicago fue modificada en ese sentido. La designación de Hernán Büchi para dirigir las reformas, en 1985, y el apoyo de un nuevo equipo de economistas —como Juan Andrés Fontaine, por ejemplo, que en aquella época se desempeñaba como economista jefe del Banco Central— consolidaron esta orientación ideológicamente más flexible. El Chile de los Chicago Boys no dudaría, entonces, en transgredir los preceptos liberales cuando la realidad económica del país así lo exigiera.

Los "neo-liberales" nacionalizaron efectivamente el sistema financiero en su totalidad a principios de los años ochenta, para hacer frente a una de las crisis bancarias más duras del continente (entre 1982 y 1983, el PIB se desplomó el 14,5%, todo un récord nacional y regional). En plena década de Reagan y Thatcher, el país de los Chicago Boys, presentado como el centro latinoamericano del neoliberalismo, ilustraba ese rumbo pragmático. El economista Carlos Díaz-Alejandro, refiriéndose a este período, observaba que "el ejemplo más llamativo de esta paradoja es Chile, un país regido por

[1] La nueva Constitución, aprobada en 1980, preveía una consulta a la población en 1988, mediante un proceso de referéndum. En 1980, en el apogeo de su poder político y en la cúspide de su despegue económico, el régimen de Pinochet estaba seguro de que lo ganaría.

economistas devotos del *laissez-faire*, que mostrará al mundo otra vía, al nacionalizar de hecho todo su sistema bancario". En la oposición, mientras los dirigentes de los últimos gobiernos de la época de Pinochet recorrían sin complejos los misterios de las reformas, combinando suturas liberales y empalmes intervencionistas, numerosos actores emprendían profundas autocríticas tanto en materia de pensamiento económico como de acción política. En lo referente a los sectores más moderados del gobierno, ya sea por conveniencia o por convicción democrática, adoptaron estrategias más conciliadoras, abriendo el camino a una transición sin ruptura que culminó en la derrota de Pinochet en el referéndum de 1988. El voto de los chilenos en favor del cambio consagró, entonces, la vuelta a la democracia, con la elección del demócrata cristiano Patricio Aylwin, en 1989, para la presidencia del país.

La "gran transformación" chilena se consolidó con esta vuelta a la democracia. No sólo no se malgastó la herencia económica de los años de la dictadura, sino que, a pesar del giro político y del cambio de régimen, se mantuvo una relativa continuidad. Cuando, a finales de la década de los ochenta, los Chicago Boys abandonaron el poder con la caída del régimen militar, los nuevos dirigentes chilenos, en lugar de rechazar esa herencia económica, siguieron combinando privatizaciones y regulaciones, apertura comercial y mantenimiento de una parte importante del sector minero en manos estatales (Codelco), liberalización financiera y control de capitales (por medio del famoso sistema del *encaje*, eliminado en 1998, en el momento en que el mundo entero deseaba inspirarse en ese "modelo" para frenar el contagio de crisis financieras). Así fue como matizaron de manera pragmática lo que se dio en llamar "crecimiento con equidad".

Bajo el nuevo régimen democrático siguió vigente la ortodoxia monetaria y fiscal. El Banco Central chileno celebró así su novísima independencia dedicándose con esmero a continuar el proceso de desinflación gradual. La búsqueda de la estabilidad de precios fue acompañada de una política fiscal controlada, mientras el esfuerzo de liberalización comercial iba profundizándose progresivamente.

En materia de competencia fiscal, el gobierno democrático restableció rápidamente el superávit presupuestario (interrumpido, desde 1975, tan sólo en el período 1982–85) y reforzó, incluso, esta disciplina adoptando una norma implícita de superávit, para tratar de reducir con ello la deuda pública de manera regular. El componente social no fue, sin embargo, olvidado; muy por el contrario, en 1990, una nueva ley del trabajo restituyó algunos de los derechos suprimidos bajo la dictadura militar. Paralelamente, los gastos sociales, en términos absolutos y como porcentaje del total de gastos, aumentaron. El ritmo de crecimiento relativamente elevado, combinado con políticas sociales dirigistas, permitió reducir significativamente la pobreza: antes de la transición afectaba al 45% de la población, y a principios de este siglo alcanzaba al 20% de los chilenos.

No faltaron ejemplos de pragmatismo económico en las últimas décadas, sea antes o después de la transición. En 1981, los dirigentes chilenos pusieron en marcha una de las reformas más innovadoras y audaces, erigida actualmente en referencia, al privatizar el sistema de jubilaciones. En ese caso también, el posibilismo impregnó el espíritu y la puesta en práctica de esta reforma. El sistema de fondos de pensión privados, que a menudo es considerado como arquetipo de las reformas liberales, constituye en realidad, en su versión chilena, una verdadera joya de orfebrería en materia de reformas posibilistas. El sistema —una de las instituciones económicas mejor reguladas del mundo— es, al mismo tiempo, de inspiración liberal y de aplicación intervencionista. La minuciosa regulación chilena establece, para los fondos de pensiones, un capital mínimo de ingreso en el sistema y la separación formal de esos mismos fondos respecto de otras instituciones financieras. Reglas estrictas enmarcan la asignación de activos de las carteras gestionadas por los administradores de fondos. Las inversiones en acciones tienen un tope máximo, y las realizadas fuera de las fronteras chilenas también se hallan limitadas, aunque han ido elevándose progresivamente a más de un tercio del total de los activos, con el objeto de permitir una mayor diversificación de los riesgos.

Además, el sistema es mejorado con toques y retoques permanentes; por ejemplo, en 1985 se introdujo la posibilidad de invertir en los mercados de acciones, y en 1992, la de invertir en los mercados de capital internacionales. Como resultado de estos ajustes, el sistema chileno es hoy menos dependiente de las emisiones de deuda del Estado: en 2001, por ejemplo, los activos de renta fija representaban apenas un tercio del total de los activos de los fondos chilenos, frente a más del 70% que representaban en Argentina, México o Bolivia. Esta menor dependencia respecto de los activos estatales constituye una garantía suplementaria en un continente donde los ceses de pago por parte del Estado no son una excepción, como lo puso en evidencia la crisis argentina a finales de ese mismo año 2001. Esta reforma ejemplifica, sobre todo, el nivel de gradualismo sin rupturas que experimentaron las políticas económicas en Chile durante las últimas décadas, continuismo que ha sido plasmado de manera singular en el gráfico adjunto. A partir de 1989, año

Evolución de los sistemas de pensiones latinoamericanos (en % del PIB)

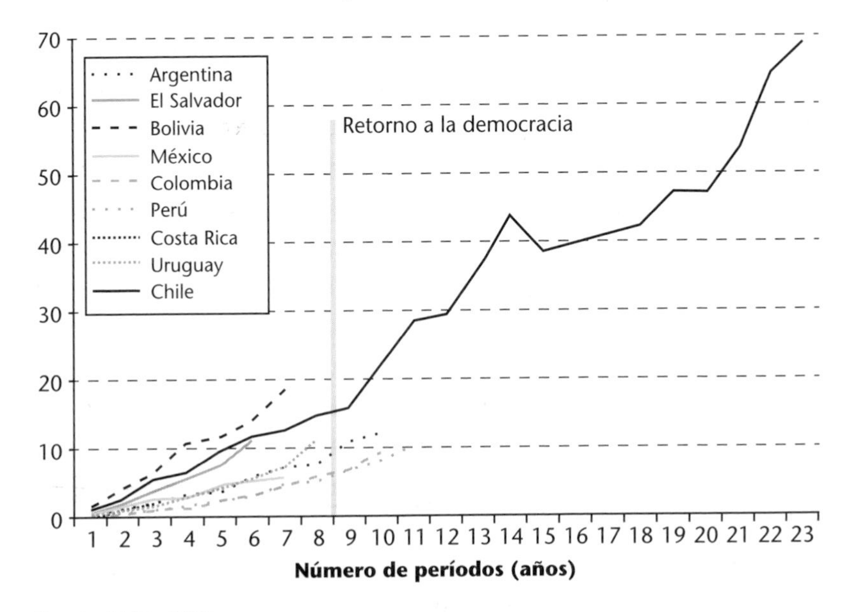

Fuente: BBVA, 2005.

del regreso de la democracia en el país —es decir, apenas nueve años después de la implementación de la reforma del sistema de pensiones—, los activos se dispararon: no solo no se dio marcha atrás con las reformas, sino que éstas, por el contrario, fueron ahondadas, adoptadas y adaptadas.

El sistema no está, ciertamente, exento de lagunas. La volatilidad de los rendimientos expone a los fondos a las idas y vueltas de los mercados financieros. Así, mientras el rendimiento de los fondos de pensiones llegaba en 1991 a un sorprendente 30%, en 1995 éstos se hundieron, registrando rendimientos negativos de –2,5%. Ello obligó a los reguladores a intervenir impulsando una nueva serie de reformas, también graduales, para atenuar esa volatilidad. Pero de ahí en adelante, y más allá de los logros y los fracasos, el sistema permitió al país acelerar la acumulación de capital y acercarse a los estándares internacionales. Con activos estimados en alrededor del 60% del PIB y rendimientos anuales cercanos al 10% de media en el período 1981–2002, el sistema muestra unos resultados respetables.

Si el impacto sobre el ahorro sigue siendo objeto de debate en los círculos académicos, los estudios empíricos corroboran que los fondos de pensiones han contribuido a lograr mayor liquidez en un mercado de capitales relativamente estrecho. Sobre todo, han permitido desarrollar un mercado de capitales a largo plazo, pues los fondos de pensiones funcionaron con horizontes de mediano plazo, mostrando una tendencia superior a la de otras instituciones financieras para conservar los activos en sus carteras. Las reformas chilenas contribuyeron también a generar imitadores en la región, lo cual no es poco mérito en un contexto regional que exhibe niveles de ahorro sensiblemente inferiores, en general, a los de Asia (dos veces inferiores a los de China, por ejemplo). Una de las lagunas que persiste en la mayoría de los países es, sin embargo, el bajo nivel de cobertura social, como consecuencia de un sector informal muy numeroso. En Chile, más de la mitad de los trabajadores tienen cobertura, mientras que en la mayoría de los países los niveles de cobertura apenas sobrepasan el 20% de la población activa.

En cuanto a las virtudes de la economía mixta, Chile también se distingue en esto. El país es uno de los más abiertos del continente, con un índice de apertura comercial superior al 50% del PIB. Sus tarifas aduaneras están entre las más bajas del mundo y ostenta un número récord de acuerdos de libre comercio. Pero todo esto no impide que, al mismo tiempo, mantenga en manos estatales gran parte del sector minero, que continúa representando cerca del 40% del total de las exportaciones.

Otro ejemplo de pragmatismo en materia de economía política fue la implementación de un sistema de control de capitales. Con el objeto de restringir la entrada de capitales de corto plazo, acusados de alterar el mercado de cambios y de socavar los esfuerzos de estabilización macroeconómica, las autoridades chilenas implementaron, a comienzos de los años noventa, un instrumento, el *encaje*, que obligaba a los inversores a colocar un porcentaje de sus créditos a corto plazo en un fondo de reserva. En el caso de retiro anticipado de capitales, los inversores perdían un porcentaje de los activos así reservados. La medida estaba destinada tanto a limitar los ingresos de capitales de corto plazo como a favorecer las inversiones de largo plazo. Esta creación chilena inspiró una multitud de trabajos e imitaciones. Su eficacia fue ampliamente debatida, al igual que sus consecuencias. Su capacidad para "enfriar" los flujos de capital calientes (de plazo corto) fue cuestionada, y las críticas se multiplicaron, sobre todo teniendo en cuenta las consecuencias de esta medida en cuanto al encarecimiento de los créditos para las pequeñas y medianas empresas. El instrumento fue suprimido *de facto* en la década siguiente, y el *encaje*, llevado a cero a principios del nuevo siglo. Pese a ello, una vez más, los dirigentes chilenos dieron prueba de imaginación y pragmatismo, creando en este país, calificado de neoliberal, un sistema *sui generis* de control de capitales. Cabe añadir que entre los padres del encaje estaba uno de los economistas chilenos más respetados, Ricardo Ffrench-Davis, quien supo también recorrer los pasillos de una de las mecas mundiales del liberalismo económico: la Universidad de Chicago.

Menos ideológicas y más consensuadas, las políticas económicas del Chile democrático de hoy, sea el de Frei o el de Lagos y el de Bachelet, continúan reflejando, por lo tanto, un estilo posibilista, esbozado en los años ochenta y consolidado en los noventa, un estilo caracterizado por cierta aprensión hacia los modelos preestablecidos y las violencias ideológicas, tanto de inspiración liberal como intervencionista. Es notable el espíritu continuista con que los gobiernos democráticos chilenos asumieron la política económica del régimen militar, sobre todo en materia de privatizaciones, y cómo mantuvieron el rumbo "liberal" de años anteriores. Pero, al mismo tiempo, como ya lo hemos visto, los nuevos dirigentes del Chile democrático no dudaron en poner en práctica —pragmatismo obliga— un sistema intervencionista de control del flujo de capitales, el famoso encaje de 1991, o en mantener gran parte del sector del cobre en manos del Estado.

En una región marcada por las turbulencias financieras, Chile aparece hoy como una isla de estabilidad, tanto financiera como macroeconómica. Sus políticas monetaria y fiscal, relativamente austeras, constituyen sólidos anclajes institucionales. Del mismo modo, el país se apoya en un amplio abanico de reformas macroeconómicas, que contribuye a consolidar la confianza que su economía despierta en los inversores internacionales. Ésta es una de las pocas economías de la región que gozan del tan deseado *investment grade* de los mercados financieros, la única que ostenta en América Latina primas de riesgo muy bajas, casi insólitas con respecto a los estándares regionales (en México, el otro gran *investment grade* latinoamericano, las primas de riesgo son casi dos veces superiores). En materia de liberalización comercial o financiera, Chile está considerado un referente internacional. Precursor en materia de privatización de las jubilaciones, del sistema de sanidad y del educativo, ha perseverado en ese pragmatismo económico en el transcurso de los últimos años. El país llama hoy a la puerta de la OCDE, organismo que le consagró en 2003 un primer y completo informe económico, en el cual sus autores subrayan, con toda razón, que entre los motores del éxito chileno figuran, precisamente, la estabilidad y el carácter gradual de sus políticas económicas.

Innegablemente, una de las claves del éxito chileno, con sus limitaciones y sus defectos, reside en la búsqueda de la economía política de lo posible, sin dogmas, sin impaciencia. Ciertamente, Chile puede haber perdido el brillo de los años de elevado crecimiento, dejando atrás, en los albores de este nuevo siglo, el ritmo de crecimiento del PIB por habitante del 5–6% anual, que tuvo durante el período 1984–1997 (muy superior a la tendencia de largo plazo del 2,5% de media anual en el transcurso de los últimos 40 años, y al 3% de media alcanzado durante los años 2000). Sin embargo, las altas tasas de crecimiento nuevamente logradas en los dos últimos años (6%) muestran que la *belle époque* de crecimiento elevado no se ha cerrado por completo. Sobre todo, el abanico de reformas anteriores y el sólido consenso que anima a las clases política y económica chilenas, cuyas raíces se remontan a los orígenes del Estado, constituyen las palancas que sirven para mantener este rumbo posibilista, un rumbo eminentemente pragmático, en el que predomina no tanto una ética de convicciones a ultranza, sino, más bien, una ética de la responsabilidad. El ejemplo chileno no es un modelo ni un paradigma a seguir: invita, precisamente, a adoptar políticas económicas basadas en la adaptación a las situaciones particulares, aligeradas de cualquier esquema preestablecido. Muestra, asimismo, a contracorriente, que un país de América puede, haciendo gala de constancia, no sucumbir a las sirenas de las soluciones rápidas del *prêt-à-penser* de moda en el hemisferio norte y salir de la trampa del subdesarrollo. Chile no es el país más rico del continente en materias primas; no se beneficia de ninguna proximidad geográfica abrumadora con la primera economía del mundo; no goza de ningún vasto mercado interior. A pesar de ello, ahí está, caracoleando a la cabeza de numerosos indicadores de desarrollo y de competitividad, y en 2004 y 2005, tuteándose de nuevo con niveles de crecimiento del PIB del 6%.

La democracia de lo posible

A semejanza de sus vecinos y de sus primos ibéricos, Chile da un rotundo mentís a todas las profecías pesimistas acerca de la imposibilidad de emergencia de las democracias latinas. En el caso chileno se trata, más bien, de una reemergencia, pues el país ya había experimentado la democracia bastante antes del trágico golpe de Estado de 1973. Desde finales del siglo XIX, un número creciente de chilenos procedentes de la clase obrera puede participar en las elecciones, y las leyes posteriores no hicieron sino ampliar la participación ciudadana. En total, exceptuadas las interrupciones de 1891 y de la guerra civil posterior, así como los períodos de turbulencias que se extendieron de 1924 a 1932, Chile sufrió, en los 145 años anteriores al golpe de Estado, apenas treinta meses de interrupción de las normas constitucionales. Los estudios comparativos más serios sobre la democracia acreditan, además, que el nivel de desarrollo democrático del país era entonces muy semejante, o superior, al de Estados Unidos o Francia. Por tanto, en Chile, a partir de 1973, la memoria de la democracia perdida se volvió omnipresente, configurando una trayectoria política específica en la que predomina no la invención, sino la reinvención de aquella democracia perdida. La democratización se concibe como un viaje de regreso, la recuperación de una tradición de consenso y moderación, una tradición mermada por las escaladas ideológicas de los años de Frei y Allende, e interrumpida brutalmente por el golpe de Estado militar.

La trayectoria política chilena muestra en qué medida la democratización es una cuestión de tiempo, un asunto de *timing*, de ritmos y secuencias. Se trató de un aprendizaje político extraordinario, en el que las polarizaciones extremas de los años sesenta y setenta fueron seguidas de nuevo por la búsqueda del consenso. En el curso de esta transformación democrática, lo que se dio fue el paso de una sociedad indiferente al riesgo (en los años sesenta y en los primeros años de la década siguiente) a una comunidad política fuertemente sensible a él (a partir del golpe de Estado). Comprender la trayectoria chilena implica, ante todo, evaluar el extraordinario proceso de aprendizaje político que tuvo lugar entre 1980 y 1989, entre el año de promulgación de la Constitución de Pinochet y el año del plebiscito que abrió las compuertas a la ola democrática.

De 1980 a 1989, día a día, la oposición al general Pinochet se adaptó al *timing* del régimen militar, aceptando progresivamente el tiempo y los plazos de la Constitución pensada a la medida del dictador. Esta Constitución, que se manifestó como una verdadera maquinaria de relojería política, no sólo estableció la duración de los mandatos o la fecha del plebiscito (concesiones a las presiones nacionales e internacionales), sino que intentó dejar fuera de las coerciones temporales propias de la democracia a sectores enteros de la vida institucional del país, como fue el caso de los senadores vitalicios. Aceptando las temporalidades impuestas, la oposición jugó a su vez su propio juego, transformando las coerciones temporales en ventajas. A medida que el horizonte del plebiscito se acercaba, los estrategas de la transición —Edgardo Boeninger, Ricardo Lagos, José Miguel Insulza, Alejandro Foxley y muchos otros, pertenecientes a una oposición de socialdemócratas y demócratas cristianos reconciliados nuevamente— comprendieron que aquél constituía una extraordinaria oportunidad para derrotar al dictador en su propio terreno. Por otro lado, y más allá de 1989, año de la caída del muro de Berlín, lo que llama la atención es el extraordinario *tempo* al que se ciñeron los demócratas chilenos, "ni obstinados en mantener lo que se derrumba, ni demasiado acuciados por la prisa en establecer aquello que parece anunciarse", retomando las palabras de Benjamín Constant acerca de la gran encrucijada de la Revolución Francesa.

La transición chilena y, más aún, la consolidación democrática constituyen, en este sentido, una renuncia a la "rabia por querer concluir", la *rage vouloir conclure*, a la cual se refirió en su momento Hirschman (tomando la expresión de Flaubert). Hoy en día, la mayoría de los actores políticos chilenos saben, igual que el Godot de Samuel Beckett, que la democracia como absoluto no ha llegado ni llegará jamás, que este régimen de lo político no es el de la perfección, sino el del perfeccionamiento, que apunta hacia un horizonte de lo posible. Los chilenos, posibilistas en su regreso a la democracia, también lo son hoy en su vida democrática, hecha de debates, de conflictos, de consensos, de argumentos y contraargumentos, una vida política democrática nuevamente banalizada que no se escribe en la poesía lírica de los impulsos revolucionarios, sino en la prosa, más contenida, de una política de lo posible.

Capítulo 5
Lula *light* en Brasil

Otra experiencia posibilista, de características tan singulares como la chilena, aunque más joven y balbuceante, es la iniciada por Brasil. Con Cardoso, este país también echó raíces en suelo democrático y se comprometió en el pragmatismo económico. El famoso Plan Real, acogido favorablemente por numerosos críticos, sobre todo a causa del éxito del programa de estabilización macroeconómica, permitió contener la espiral inflacionaria y encaminar al país por senderos inéditos.

La historia contemporánea brasileña también ha estado moldeada por experiencias democráticas frustradas, interrupciones autoritarias e imposiciones, en un cuerpo social polarizado de modelos de industrialización a marcha forzada y de sustitución de importaciones. La experiencia democrática de los años 1946–1964 desembocó en uno de los primeros regímenes burocráticos autoritarios, único en muchos sentidos. Este régimen se mantuvo hasta el retorno del país a la democracia en 1985, retorno que se situó en el marco de la crisis de la deuda, acentuada por la incapacidad del régimen militar para poner freno a una inflación galopante. Una de las prioridades de los demócratas brasileños consistió, por tanto, en contener la espiral inflacionaria practicando, en 1986, un "*quick-fix*" heterodoxo de *shock* antiinflacionario, el famoso Plan Cruzado, que tampoco consiguió detener el alza de los precios. En 1989, las primeras elecciones presidenciales directas tras el regreso de la democracia llevaron al poder a Fernando Collor de Melo, cuyo nuevo programa heterodoxo de lucha contra la inflación corrió rápidamente la misma suerte que los precedentes. Su mandato se vio, incluso, interrumpido por un procedimiento de *impeachment* por corrupción, prueba de que el *air du temps* en América Latina se había enrarecido no sólo para los autócratas, sino también para los aprendices de demócratas que aspiraban a perpetuar ciertos hábitos políticos poco loables.

La liberalización comercial y la agenda de las privatizaciones vieron la luz por fin, pero envueltas en un halo de escepticismo alegre y apresuramiento lento muy a la brasileña. La llegada a la dirección del Ministerio de Finanzas de un sociólogo, defensor en su época de estrategias de desarrollo autocentradas, marcó un hito en la trayectoria económica del país, particularmente accidentada hasta aquel momento. Fernando Henrique Cardoso se rodeó de un equipo de jóvenes y brillantes tecnócratas que introdujeron en 1994 un programa de reformas ortodoxas tan imaginativas como pragmáticas: el Plan Real. En la huella de ese plan de estabilización, la fiebre inflacionaria se detuvo y, paralelamente, se recuperó el consumo. Este éxito condujo al sociólogo aprendiz de financiero a la presidencia de la república. Desde ahí, quien había sido uno de los gurúes de la teoría de la dependencia, inspirada por el economista argentino Raúl Prebisch, emprendió una amplia reforma pro-mercado. Cuando fue reelegido en 1998, no dudó tampoco en rodearse de otros brillantes tecnócratas curtidos en las reglas de los mercados. Uno de ellos sería nada más ni nada menos que Arminio Fraga, talentoso economista formado en Princeton y Wall Street, que abandonó el fondo de inversión de Georges Soros en Nueva York para aterrizar en Brasilia como presidente del Banco Central.

En los años noventa, más de una década después que Chile, y con extrema moderación, el Brasil de Cardoso (ferviente lector de Albert Hirschman) adoptó, mediante sucesivos toques, políticas económicas que combinaban la apertura liberal con el predominio estatal. Sostenidas por varias décadas de populismo y nacionalismo económico, las resistencias a estas tímidas incursiones fueron múltiples. Sin embargo, no impidieron que en 1995 fuesen aprobadas seis propuestas del equipo del nuevo ministro de Finanzas, Pedro Malan, para enmendar la Constitución de 1988 a fin de darle una orientación más liberal. Los principales cambios estuvieron dirigidos a ofrecerles a las empresas extranjeras la posibilidad de invertir en los sectores minero y petrolero. Podrían también suministrar servicios telefónicos y operar en el segmento de transmisión de datos e, incluso, de distribución de gas a particulares y empresas. A estas medidas se añadieron, siempre de modo muy gradual, ajustes fiscales y liberalizaciones comerciales progresivas.

A pesar de ello, el dirigismo y el intervencionismo del Estado no cesaron. Así, la disminución del control sobre el operador petrolero brasileño, Petrobras, en 1995, fue tan sólo parcial, y numerosas tentativas de reformas al respecto fueron rechazadas por los parlamentarios. Sería necesario el acicate de una crisis financiera en Asia y el riesgo de que se extendiera para que el ritmo de las reformas se acelerara de nuevo a finales de 1997, impulsando en el mismo movimiento una primera reforma administrativa de envergadura, con un aumento de los impuestos, una reducción de los presupuestos y, sobre todo, la implantación en materia fiscal de un fondo de estabilización fiscal que permitiera al gobierno federal limitar las desviaciones presupuestarias de los estados federados. Continuaron las privatizaciones, pero no a paso de carga como en el país vecino, Argentina, sino más bien con cuentagotas, aunque con operaciones de gran amplitud, como fue el caso de la privatización del *holding* telefónico Telebras. La crisis rusa del verano de 1998 sacudió de nuevo la economía brasileña, obligando al gobierno, ya reelegido Cardoso en octubre, a tomar drásticas medidas de austeridad presupuestaria para restablecer la confianza. En enero de 1999, el Banco Central debió resignarse a dejar flotar el real, tras la moratoria proclamada por el gobernador de Minas Gerais y ex presidente Itamar Franco, lo cual trajo aparejadas nuevas turbulencias financieras.

La segunda administración Cardoso (1999–2003), inaugurada de esa manera, fue para algunos más decepcionante que la primera. Tras un leve estremecimiento, el aparato legislativo cayó en cierto letargo. La atención del equipo gubernamental se centró en la consolidación de los progresos del primer mandato. Sin embargo, en 2001, las veleidades de crecimiento chocaron primero contra la crisis ener-

Elecciones y mercados financieros: el "Efecto Lula" en 1994, 1998 y 2002

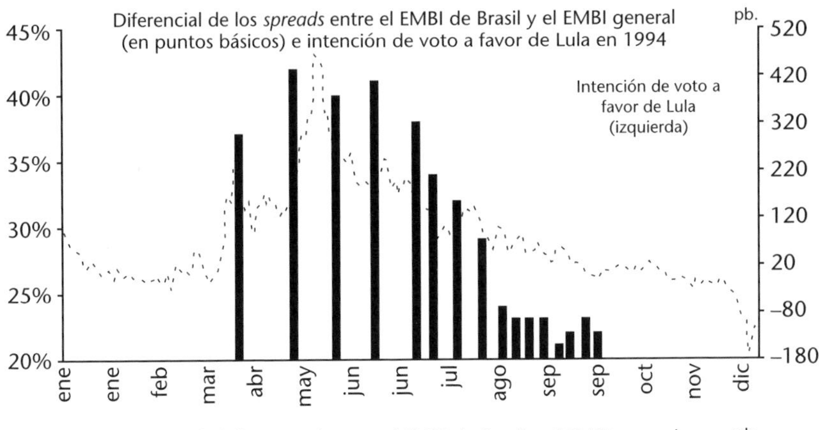

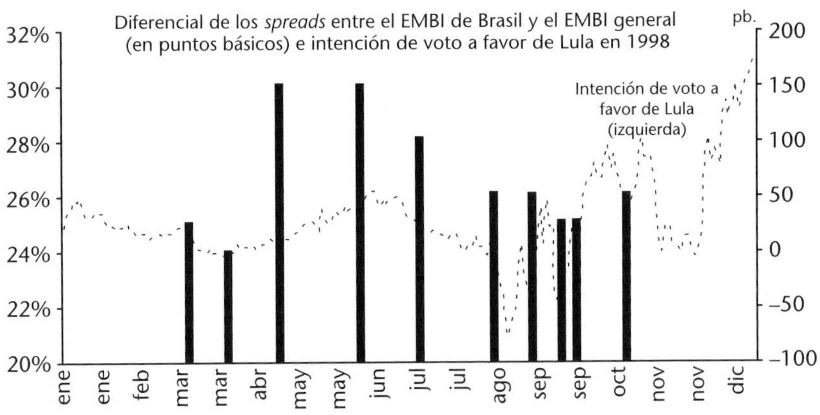

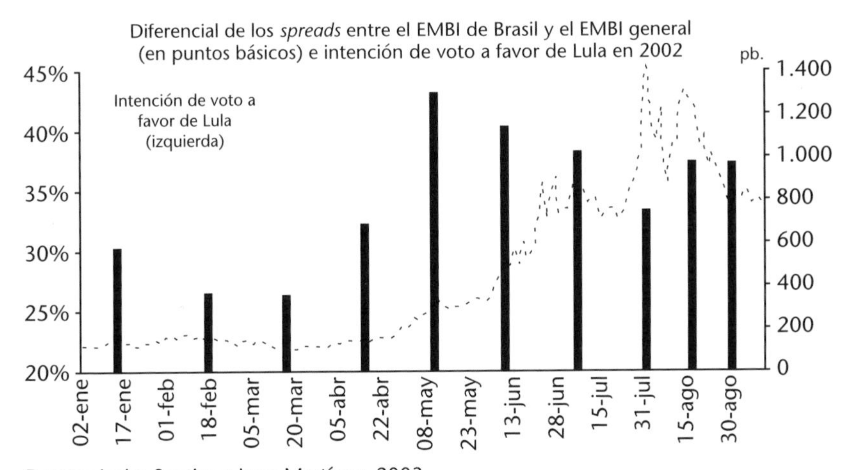

Fuente: Javier Santiso y Juan Martínez, 2003.

En menos de un año, la administración de Lula consiguió la hazaña de aprobar reformas que su predecesor había intentado lograr en vano. El régimen de seguridad social fue aprobado en menos de doce meses —un récord de rapidez—, objetivo que Cardoso no pudo alcanzar a lo largo de 45 meses. También la reforma del régimen de jubilaciones se situó en la línea estratégica del gobierno precedente. Como prueba del giro pragmático, Lula y los suyos, inicialmente opuestos a estas iniciativas, las adoptaron sin pestañear una vez en el gobierno, ubicándolas en el centro de la agenda de las políticas económicas del año 2003. A diferencia de otros países de América Latina, estas reformas no afectaron los principios básicos de los regímenes de distribución. Por consiguiente, en Brasil no se produjeron transferencias de lo público hacia lo privado, ya que el Estado continuó manteniendo, más que en otros países, el dominio sobre la capacidad de asegurar el porvenir de sus ciudadanos.

Velocidad de las reformas:
tiempo transcurrido para la aprobación de enmiendas en el Congreso brasileño durante el primer mandato de Cardoso (1994–1998)

Enmiendas constitucionales	Primera votación	Última votación	Número de meses
Reforma administrativa	26-sep-95	11-mar-98	30
Reforma de la seguridad social	24-abr-95	15-dic-98	44
Enmienda sobre la reelección	26-abr-95	04-jun-97	26
Reforma del Fondo de Estabilización Fiscal	30-ago-95	29-feb-96	6
Restablecimiento de la Tasa CPMF	30-ago-95	24-jul-96	11

Fuente: Javier Santiso, 2005; períodos calculados según datos del Crédit Suisse First Boston (CSFB) y del Congreso brasileño, 2004.

La reticencia de los funcionarios públicos, alternada con la de los parlamentarios, atenuó el alcance de las reformas. En cuanto al régimen general de pensiones, se introdujeron modificaciones con respecto al cálculo del importe total de las jubilaciones, pues se pasó a tomar en consideración la media del 80% de los mejores años desde 1994, y no sólo de los tres últimos años. Por otro lado, las pensiones de jubilación podían seguir acumulándose a otros ingresos, pero la idea de imponer una edad mínima, acariciada en cierto momento, fue finalmente descartada. También se inició la reforma del sistema de jubilaciones de los funcionarios (objetivo que bajo el mandato de Cardoso había fracasado por la resistencia del Congreso y del Partido de los Trabajadores). Los proyectos de enmiendas constitucionales fueron aprobados en menos de ocho meses, otro récord de velocidad en materia de reformas en Brasil. Así, se estableció una edad mínima de 60 años para los hombres y de 55 años para las mujeres, combinada con un mínimo de permanencia en la función pública para poder beneficiarse de una pensión equivalente al último salario percibido, y se generalizó la contribución al fondo del 11% sobre los salarios de los funcionarios. Estas medidas fueron tomadas, a pesar de las resistencias —que a veces se manifestaban, incluso, en el seno mismo de la coalición gubernamental—, gracias a un estilo de gobernar a la vez flexible y firme. Lula, como aguerrido negociador sindical, se convirtió en un maestro en todas las artes políticas, desde las guerras de trinchera legislativas hasta las negociaciones entre bastidores. En esencia concreto, combinó las concesiones con el mantenimiento de prioridades, haciendo gala de un innegable coraje político para afrontar el descontento de sus propios bastiones electorales.

La otra gran reforma que se encaró fue la fiscal, centrada, principalmente, en la mejora de la recaudación y el control de los gastos. El método de acción consistió en garantizar lo fundamental, es decir, una mayor eficiencia de los ingresos fiscales. No obstante, para no enfrentarse con los poderosos gobernadores, la exención de los bienes de primera necesidad y la instauración de tasas unificadas en materia de impuestos sobre la circulación de mercancías y sobre los servicios (una especie de IVA) quedaron aplazadas.

La educación, la sanidad, el salario mínimo, los frentes sociales del gobierno de Lula, tampoco estuvieron ausentes. No obstante, a fin de mantener el rumbo de austeridad fiscal y de evitar cualquier riesgo de rebrote inflacionario, los tipos de interés se mantuvieron deliberadamente altos durante el primer semestre del mandato de Lula, en tanto que el objetivo de superávit presupuestario fue reforzado, y el gobierno respetó escrupulosamente los compromisos con el Fondo Monetario Internacional. A fines de 2003, no sólo la inflación se hallaba en baja, sino que la deuda pública neta volvía a caer por debajo del umbral del 56% del PIB. El precio de esta ortodoxia fue, sin embargo, un crecimiento prácticamente nulo en ese año y el descontento del ala radical del Partido de los Trabajadores, crítica hacia una gestión que juzgaba demasiado liberal.

A pesar de ello, para esa época, la popularidad de Lula se mantenía en niveles especialmente altos en los sondeos, y en el país se había instaurado progresivamente cierta economía política de la paciencia. La población se mostraba dispuesta a dar tiempo a Lula y a su administración. Según las encuestas, el 60% de los brasileños aprobaban entonces los logros personales de su presidente, una cifra verdaderamente alta, tanto en Brasil como en el resto de América Latina, si se tiene en cuenta el desgaste que produce el ejercicio del poder. Los datos macroeconómicos consolidaban, además, esta relativa satisfacción de los brasileños, pues la economía lograba en 2004 una tasa de crecimiento cercana al 5%, claramente superior a la media de los veinte años precedentes (2,7%). También la balanza comercial registraba —en parte, gracias al impulso de la demanda china— un superávit récord en ese año, y las exportaciones se aproximaban a los US$100.000 millones, cifra que era un 30% mayor que la del año precedente y rondaba el 15% del PIB. En 2005, a pesar de una significativa apreciación del real, Brasil volvería a registrar un nuevo récord en materia comercial, con un superávit histórico de US$45.000 millones. En quince años, el país consiguió aumentar su índice de apertura comercial, pasando del 10% al 25% del PIB. Si bien sigue rezagado cuando se lo compara con China (52% del PIB en 2004), México (60%) o incluso India (30%), el despertar de Brasil como potencia exportadora no deja de llamar la atención como uno de los grandes logros de Lula y su ministro Furlan. A esta apertura comercial responden no sólo las inversiones extranjeras en el país (3% del PIB en los últimos años), sino también el creciente interés de las empresas brasileñas por invertir fuera de sus fronteras. En 2004, las inversiones de las empresas brasileñas en el exterior totalizaron US$9.500 millones, un salto del 3.700% con respecto al año anterior. Empresas como Petrobras multiplicaron así las incursiones en países vecinos, en tanto que Gerdau, Embraer, Votorantim, CVRD y Ambev fueron más allá, no sólo invirtiendo en otros mercados emergentes, sino diversificando su cartera industrial y financiera hacia los países desarrollados.

Lo más notable de esta evolución radicó en la diversificación de los productos y de los mercados en materia de exportaciones. Así, como lo muestran los gráficos siguientes, que recogen los índices de concentración Herfindahl-Hirschman de las exportaciones brasile-

Índice de concentración de las exportaciones brasileñas por productos, 1989–2004

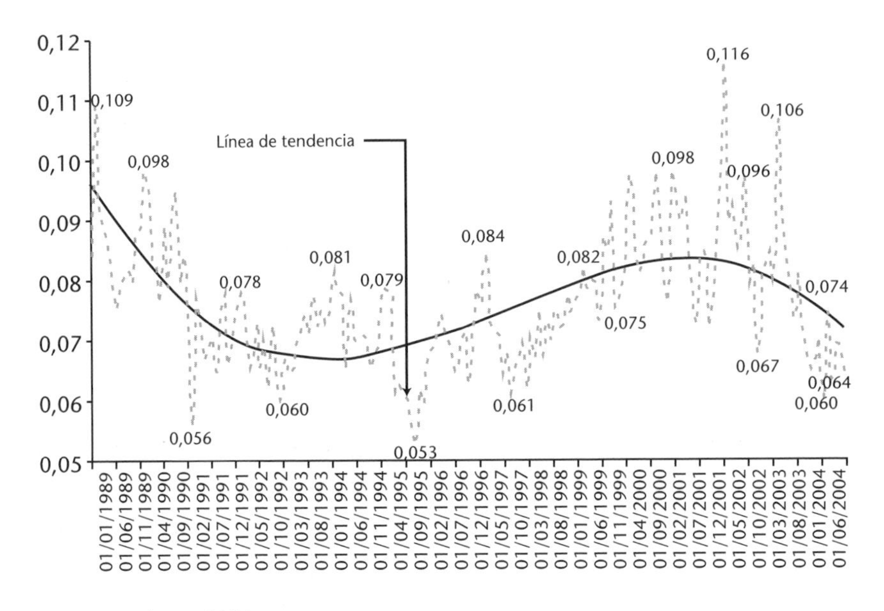

Fuente: Bradesco, 2004.

Índice de concentración de las exportaciones brasileñas por mercados, 1996–2004

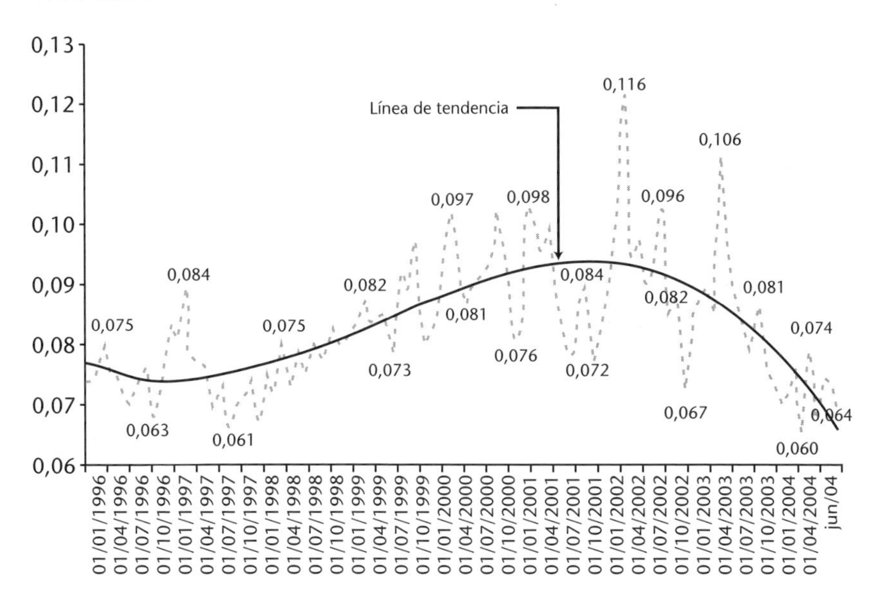

Fuente: Bradesco, 2004.

ñas, tanto por productos como por mercados, los registros tendían más hacia el cero, o, lo que es lo mismo, las exportaciones estaban ya menos concentradas que en los años noventa, ya sea desde el punto de vista de los productos o del de los mercados.

La política social

Paralelamente a la implementación de una política fiscal y monetaria de tinte bien ortodoxo, los nuevos dirigentes dedicaron su atención a los males endémicos de Brasil, en particular la pobreza, mediante programas sociales, entre los cuales *Hambre Cero* y luego *Bolsa Familia* estuvieron a la vanguardia. Igualmente, el salario mínimo real fue elevado un 25%. Cardoso acostumbraba decir que Brasil no era un país pobre, sino un país injusto: a pesar de un PIB por habitante relativamente alto, la pobreza extrema alcanzaba al 15% del total de la población, y la pobreza en general afectaba a más del 35%. Lula intentó convertir el escándalo de la pobreza en la prioridad de la política económica brasileña, pero al tomar en consideración la realidad macroeconómica se fue diluyendo la tendencia redistributiva de un Lula muy vehemente al respecto cuando se hallaba en la oposición. Sin embargo, a pesar de un crecimiento relativamente modesto durante sus años de gobierno (2,6%), el índice de pobreza de Brasil, según las mediciones efectuadas por la Escuela de Negocios de la Fundación Getulio Vargas, se ha reducido, pasando del 27,3% del total de la población en 2003 al 25,1% en 2004. En particular, lo que ha disminuido también es la desigualdad, que en 2005 se hallaba en el nivel más bajo de los últimos treinta años de la historia del país.

Esta toma de conciencia sobre la importancia de la capacidad y la eficacia redistributiva de un régimen democrático, impulsada antes por un sociólogo y ahora por un sindicalista, no es ciertamente nueva en Brasil. Sin embargo, ahora es más saludable, por cuanto se sitúa en un registro de economía política pragmática, un empuje posibilista que busca desprenderse de todo ruido ideológico y particularmente consciente de que las democracias sobreviven en sociedades prósperas o, en los casos más extremos, cualquiera que sea el nivel medio de renta, siempre que esté distribuido de modo suficientemente igualitario. De hecho, durante la segunda mitad del siglo XX, la probabilidad de "desmoronamiento" de una democracia era de una sobre doce en países cuya renta per cápita se hallaba por debajo de los US$1.000, y se elevaba a una sobre sesenta en el caso de rentas per cápita superiores a US$6.000. A lo anterior se suma un hecho todavía más destacable que subrayan Benhabib y Przeworski: esta "frontera", este umbral en términos de ingresos por habitante, más allá del cual las posibilidades de supervivencia de una democracia son mayores, se eleva más aún cuando la diferencia de ingresos es más reducida o, lo que es lo mismo, cuando las sociedades son más igualitarias en términos de distribución de la riqueza.

Esta combinación de ortodoxia económica y de políticas sociales fue, de cualquier modo, la marca de fábrica de los primeros pasos de una administración dominada por la figura de un presidente más atento a los objetivos globales que a la pureza ideológica de los métodos para conseguirlos. El propio Lula insistía en el hecho de que él era, ante todo, un negociador, y no un ideólogo. Los principales responsables de las carteras económicas se inscribían también en esa misma línea empírica, como Antonio Palocci, ministro de Finanzas, y también Guido Mantega, ministro de Planificación, o Luiz Furlan, titular de la cartera de Desarrollo, Industria y Comercio Exterior —él mismo, empresario industrial anteriormente—. Es verdad que las políticas económicas seguían impregnadas de cierto "heroísmo nominalista", que dependían, en gran parte aún, más de las personas al mando que de las propias instituciones; pero ello no es óbice para que, aunque el nominalismo sea preponderante todavía, Brasil parezca también, a semejanza de Chile, hallarse en el buen camino de mayor anclaje institucional.

Es evidente que estas políticas económicas forman parte del mismo impulso que atraviesa las Américas, sean lusófonas o hispanófonas, esto es, el del pensamiento mestizo evocado por los historiadores y antropólogos. En este país vasto como un continente, donde se han censado hasta 136 matices de color de piel, donde se desarrolló una literatura "antropófaga" en los años veinte, la capacidad de asimilar los opuestos y ensamblar las combinaciones constituye la piedra angular de un pragmatismo tropical que también encuentra sus versiones en los registros económicos y políticos durante el siglo XX. El lema "Orden y Progreso", adoptado por la república brasileña en su nacimiento, en 1889, no era otra cosa que uno de los adagios favoritos del positivismo, inspirado directamente en Augusto Comte. Combinaba la voluntad de proyectarse hacia el futuro con la de ordenar esa proyección, de enmarcarla racionalmente.

"Sou um tuoi tangendo um alaude" ("Soy un tupí que toca el laúd"), escribía Mario de Andrade en uno de sus poemas, evocando la realidad de un país en el cual las alianzas y los linajes son múltiples, donde se mezclan en un inextricable enredo los compromisos y las adaptaciones. A semejanza del héroe de Andrade, los gobernantes brasileños de fines del siglo pasado y de este nuevo siglo balbuceante multiplican las combinaciones. Se han convertido en *luthiers* económicos sin par, que tocan a la vez grandes óperas musicales y la música sencilla del azar. La planificación y la imaginación, el rigor y la flexibilidad, se mezclan así para dar nacimiento, también aquí, a una variante más de las políticas económicas de lo posible.

Como Chile en 1989 o México en 2000, el Brasil del año 2002 experimentó una transición fundamental. Pero un acontecimiento de similar importancia fue, como para sus predecesores, haber consolidado lo que Arminio Fraga denominó un "nuevo régimen económico", es decir, una política económica más creíble, por centrarse más en la consecución de un objetivo razonado y ordenado. Al mostrar a los ojos del mundo que la elección de economías políticas es compartida por un (muy) amplio espectro, que abarca desde las élites hasta las sociedades, y que esa elección deriva de posiciones pragmáticas, y no ideológicas, el Brasil de Lula se incorporó también, y de manera singular, al posibilismo que brota en América.

Capítulo 6
México: la gran transformación

Uno de los ensayos más lúcidos que se han escrito sobre México no es fruto de las sabias combinaciones estadísticas de un sociólogo, ni de las suposiciones prudentes de un politólogo, ni de las regresiones tecnicistas de un economista, sino de los pensamientos de un poeta que fue también uno de los más grandes ensayistas de su país y de su siglo: el Premio Nobel Octavio Paz.

En la posdata a su libro *El laberinto de la soledad*, describe en qué medida la matriz de la política moderna de su país se sitúa en esa voluntad reiterada, cada seis años, de borrar el legado anterior. A semejanza de los emperadores aztecas que cubrían con una pirámide cada vez mayor la de sus predecesores, también los presidentes mexicanos del siglo XX se empeñan en arrasar el pasado cercano. Los tiempos modernos mexicanos están hechos de tiempos mezclados, pasados encubiertos y futuros frustrados, una serie de edenes subvertidos que se desea recuperar y olvidar a la vez. En este país de tiempos simultáneos, pasado, presente y futuro se codean y chocan entre sí. Las avenidas de la urbana y pacífica capital llevan el nombre de Insurgentes o de Reforma, típicamente revolucionarios. Los rascacielos futuristas son vecinos de las chabolas y de las pirámides precolombinas de las catedrales barrocas. La denominación del partido que dominó durante más de setenta años la vida política del país, el Partido Revolucionario Institucional (PRI), yuxtapone, por su parte, palabras aparentemente inconciliables, prometiendo al mismo tiempo la ruptura radical, la vuelta a un pasado utópico, y practicando, a la vez, un presente conservador.

De entrada, la modernidad mexicana estuvo dominada, a su manera, por el eclecticismo y el pragmatismo del PRI, que adoptó una política conservadora y liberal a la vez, revolucionaria y tradicionalista, practicando alternativamente el intervencionismo y el *laissez-faire*. "El eclecticismo de la vida política oficial mexicana —escribirá otro fino conocedor de las realidades de su país, Carlos Fuentes— fue tan contradictorio y fascinante como las imágenes de la Virgen de Guadalupe que adornaban los sombreros de los guerrilleros zapatistas, quienes, sin sombra de objetivo sagrado en sus mentes, atacaban las iglesias rurales de Morelos". Fue ese pragmatismo el que les permitió a los dirigentes del PRI mantenerse en el poder durante cerca de cincuenta años, tras la creación formal del partido en 1946 (que suma setenta años si se consideran los inicios de la década de 1930 como momento de fundación del partido que originará el PRI), y consolidar una estabilidad política inédita en el continente. Esa estabilidad fue una de las claves de la relativa prosperidad económica que experimentó el país en cuanto a crecimiento. Esa estabilidad se despegó de la propia historia política mexicana, sobre todo desde el siglo XIX hasta la llegada al poder de Porfirio Díaz y luego hasta los años veinte. Entre 1821 y 1867, es decir, en un período de 46 años, México tuvo, en efecto, un total de 56 administraciones diferentes. A título de ejemplo, durante los 52 años que van de 1817 a 1869, Estados Unidos sólo tuvo 13. La inestabilidad política mexicana, en las cuatro décadas siguientes a la independencia, cercenó el crecimiento del país entre un 50% y un 100%, según las estimaciones de los historiadores. También la estabilidad política de la *belle époque* del Porfiriato, a finales del siglo XIX, explica entre el 50% y el 88% del aumento de la tasa de crecimiento registrado durante este período.

México se despegó, así, de todas las demás trayectorias del continente, y ostentó una estabilidad política sorprendente durante el siglo XX, al contrario de otros países de la región. Tras las tormentas revolucionarias y la estabilización del régimen en 1934, con Cárdenas, el país tuvo sucesiones presidenciales regulares, una decena en total hasta el día de hoy. Pero tampoco México escapó al desgaste del tiempo. En 2000, por primera vez en la historia contemporánea del país, llegó al poder un presidente postulado por la oposición, ratificando así la lenta erosión que el poder priísta experimentó a partir de la crisis de la deuda en 1982, que puso fin a la expansión económica del milagro mexicano. El advenimiento de una sociedad abierta, de los años setenta a la alternancia del año 2000, ha tejido un proceso particularmente gradual. El calendario político se aceleró a partir de 1997, año en que las elecciones ratificaron el paso a manos de la oposición del gobierno de varios estados, de la Cámara de Diputados, de una parte del Senado y, por primera vez, de la alcaldía de la tentacular Ciudad de México. Tres años más tarde, el viejo dinosaurio del PRI fue desalojado de la presidencia. En todo el país se restableció, entonces, una "tradición democrática" cuyo pasado se remonta al efímero gobierno de Madero en 1911.

Paralelamente a esta invención de la democracia, México se volcó, en el transcurso de las últimas décadas, hacia los tiempos modernos de la economía de mercado. Herederos de Lázaro Cárdenas, que organizó en los años treinta una reforma agraria de inspiración colectivista y llevó a cabo la nacionalización del petróleo, los presidentes priístas continuaron la tarea revolucionaria guiados por una ideología relativamente flexible: los decálogos se adaptaban y variaban según las necesidades y el *air du temps* del momento. Entre 1940 y 1980, mientras los vecinos latinoamericanos quedaban atrapados en regímenes revolucionarios, la economía mexicana ostentó una velocidad de crucero envidiable, con un crecimiento anual del PIB del 6%. Con la escalada de las exigencias económicas y políticas, la aparición de nuevos agentes sociales y de nuevas reivindicaciones económicas, el sistema comenzó, no obstante, a holgazanear. La incapacidad de los dirigentes para responder a estos desafíos se evidenció de modo flagrante con la masacre de la plaza de Tlatelolco, la víspera de los Juegos Olímpicos de 1968. El populismo pragmático de los dirigentes de los años setenta tampoco logró frenar la escalada de exigencias y descontento. La gran ilusión del desarrollo autocentrado se quebró en 1982 (un año bisagra, que contemplaba cómo el país, beneficiario hasta entonces del *boom* del petróleo, se hallaba al borde de la quiebra) y el milagro se convirtió en pesadilla: la caída de la cotización del petróleo privó al país, de la noche a la mañana, de su apreciada liquidez. Incapaz de hacer frente a una deuda colosal, México se declaró en suspensión de pagos y desató una crisis que atravesó como una onda expansiva a toda América Latina.

Fue necesario que pasaran casi siete años para que, en 1989, bajo el impulso del Plan Brady[2], México pudiera volver a los mercados de capital internacionales. La crisis terminó definitivamente con el retiro, veinte años después de su estallido, de las últimas obligaciones Brady. Entretanto, los dirigentes priístas comprometieron al país en una serie de reformas de inspiración liberal, siempre con tiento pragmático y un toque social, que seguirían siendo las marcas de fábrica de la política económica mexicana. Bajo el mandato de Miguel de la Madrid (1982–1988), México se adhirió al GATT (antepasado de la OMC). En 1988, el candidato priísta, Carlos Salinas de Gortari, ganó unas elecciones particularmente reñidas, en una atmósfera de escándalo electoral. Obligado a legitimar su gobierno rápidamente, aceleró el ritmo de las reformas iniciadas por su predecesor, estabilizó una economía que había tocado fondo en los años ochenta, descabezó al sindicato de los trabajadores del petróleo y emprendió una serie de reformas macroeconómicas ambiciosas, que dieron remate a las iniciadas por el presidente Miguel de la Madrid. El país se abrió más a la economía mundial, firmó un histórico tratado de libre comercio con Estados Unidos (una primicia mundial) y desmanteló gran parte de la economía estatal mediante amplios programas de privatización. El poder reinante llegó, incluso, a modificar la sacrosanta Constitución de 1917, revisando el artículo 27, relativo al sistema agrario colectivista del *ejido*, es decir, la propiedad comunal. En

[2] Impulsado por el secretario de Estado del Tesoro norteamericano, Nicholas Brady, el objetivo de este plan era resolver la crisis de la deuda de 1982, cuando México declaró un cese de pagos unilateral. En total se emitieron Bonos Brady por un monto que alcanzó su máximo en 1996 (US$150.000 millones). Mexico retiró los últmos Bonos Brady del mercado en 2003, cerrando así oficialmente la crisis de la deuda de la década de los ochenta. A principios de 2006, Brasil y Venezuela también recompraron sus Bonos Brady. En 2006, quedan apenas US$10.000 millones de Bonos Brady en circulación, según JP Morgan.

apenas unos años, el escenario económico mexicano se transformó, y con él, la economía del país. La lucha contra la inflación se ubicó a la cabeza de las reformas. Mientras, los conductores de esta aceleración se ocupaban con esmero de engrasar la maquinaria social con un vigoroso programa social, denominado "Solidaridad".

Esta transformación puso de manifiesto las disparidades regionales. En el sur, en Chiapas, los indígenas se quedaban en tierra, viendo cómo se alejaba a gran velocidad la mitad norte del país, arrastrada por la locomotora de las reformas. El 1 de enero de 1994, mientras los dirigentes mexicanos imaginaban ingresar en el desarrollado Primer Mundo con la entrada en vigor oficial del tratado de libre comercio con Estados Unidos y Canadá, los indios de las selvas lacandonas se sublevaban de la mano de un líder posmodernista llamado "Subcomandante Marcos". En el seno del aparato del Estado, las privatizaciones debilitaron la capacidad rentista de un gobierno que ya no podía alimentar como en el pasado el nepotismo y el clientelismo, mientras los reformistas y los dinosaurios del PRI se enfrentaban abiertamente. Las escisiones y los cismas se multiplicaron, como el del año 1987, que dio lugar, más adelante, a la creación de un nuevo actor político: el Partido de la Revolución Democrática (PRD).

Mercados financieros y democracias emergentes

En muchos aspectos, 1994 fue un año excepcional, por lo cual merece que nos detengamos a recordarlo, pues sirve para ilustrar también las tensiones entre los mercados financieros y las democracias emergentes, tensiones que son comunes al conjunto de los mercados llamados *emergentes* y que la crisis mexicana puso de manifiesto de modo patente. Esta crisis se transmitió a gran velocidad a las principales economías de la región, frenando el proceso de reformas. Cada país afectado se vio obligado a interrumpir su carrera hacia el crecimiento y adoptar urgentemente drásticas medidas para frenar la expansión de la gangrena financiera por todo el cuerpo económico y social. Esta crisis, bautizada "Efecto Tequila", demostró también la capacidad de los Estados para reaccionar y adaptar sus hojas de ruta liberales. Así, por ejemplo, a comienzos de 1995, Brasil se apresuró a aumentar de nuevo sus tarifas aduaneras a pesar de las cláusulas del tratado del Mercosur, reiterando de este modo el extremo pragmatismo del que no dejaron de hacer gala los dirigentes brasileños.

La crisis mexicana ejemplificó, sobre todo, la guerra de tiempos entre Estados y mercados, y se configuró, antes que nada, como una crisis de liquidez a corto plazo. Para hacer frente a los primeros signos de la crisis, manifestados en marzo de 1994 tras el asesinato del candidato priísta a las elecciones presidenciales, Luis Donaldo Colosio, el gobierno recurrió a la emisión de bonos del Tesoro de corto plazo, garantía contra todo peligro de cambio. Estos *tesobonos*, rebautizados *malditosbonos* cuando las autoridades se vieron forzadas, en diciembre de 1994, a dejar flotar el peso, precipitaron la crisis. Se inició entonces una carrera a toda velocidad entre reacciones exageradas de los mercados financieros y medidas de política económica urgentes (inyección de unos US$50.000 millones por parte de Estados Unidos y la comunidad financiera internacional, a principios de 1995) para frenar la fuga de capitales y restaurar una apariencia de estabilidad en el tipo de cambio. El importe de los *tesobonos* había pasado, en pocas semanas, de representar menos del 10% de la deuda pública en títulos a más del 60%, activando una bomba de relojería financiera que estalló a fines de 1994, una vez conocida la caída de las reservas.

Los estados intentaron, entonces, actuar inmediatamente, ajustando sus tiempos de acción y reacción. Dicho de otro modo, intentaron adecuar los tiempos políticos al ritmo de alta velocidad de los mercados financieros. El sistema financiero internacional adoptó, como consecuencia de la crisis mexicana, nuevas medidas, que autorizaron desembolsos cada vez más rápidos por parte del FMI.

Asimismo, la metodología de decisión del FMI se dotó, en aquella época, de procedimientos de urgencia para acortar los plazos de aplicación de las decisiones y también los intervalos entre las misiones de los expertos y la entrega del informe final a las principales instancias decisorias del organismo (pasaron, entonces, de noventa días a menos de veinte).

En esencia, esta crisis puso de manifiesto en qué medida interactúan las temporalidades económicas y políticas. Revela cuál es la lógica de corto plazo aplicada en los mercados emergentes, pero también en los aparatos de los Estados, que se ajustan a los cambios de ritmo de aquéllos recurriendo a soluciones de corto plazo, como lo ejemplifica la fuerte concentración de la deuda a corto plazo, los *cetes* y los *tesobonos* en el caso mexicano, que vencían en los primeros meses de 1995 (en total, se emitieron cerca de 30 millones de estas obligaciones, un tercio de las cuales vencían en ese lapso). Esto sirve para ilustrar la tendencia de algunos gobiernos a dilatar en el tiempo los ajustes necesarios. ¿Qué razón justificaba, en efecto, en el caso mexicano, esperar tanto para proceder a una devaluación que se había vuelto necesaria ya en el mes de marzo y diferirla hasta diciembre, en que se reconoció la impotencia para evitarla? No había otra razón que la perspectiva electoral de julio-agosto de 1994, que llevó a rechazar un ajuste drástico anterior a ella, que hubiera podido poner en peligro la victoria del candidato priísta, Ernesto Zedillo. Devaluar suponía exponerse a perder buena parte del electorado, pues la reconquista de bases electorales sólidas por parte del PRI fue, en gran medida, fruto de la estabilización de los precios y del tipo de cambio. Además, la memoria política y social de las devaluaciones precedentes y la idea arraigada de que "un presidente que devalúa es un presidente devaluado", como señaló López Portillo en 1982, reforzaban la convicción de que había que tratar de ganar tiempo.

Como se lo ha podido ver en el caso brasileño, estas crisis cardíacas no son, desgraciadamente, privativas de los mexicanos. En América Latina, su *timing* aparece singularmente sincronizado con los ciclos políticos y, en particular, con las elecciones presidenciales.

De hecho, durante los años noventa, todas las grandes crisis económicas y financieras de la región se desataron en un espacio temporal que coincidió con elecciones presidenciales, tanto la crisis mexicana de 1994 como la devaluación del real a principios de 1999 (a pocos meses de la elección de Cardoso en octubre) o la de 2002, así como la crisis argentina desencadenada a fines de 2001, unos meses después de la elección del nuevo presidente. Como lo muestra el gráfico siguiente, en el período 1970–2000, más del 75% de las turbulencias y crisis de cambio en América Latina se produjeron entre uno y cinco meses después de una elección presidencial. La emergencia de las democracias latinas se vio enmarcada por amplios movimientos de aversión al riesgo por parte de los operadores financieros al acercarse acontecimientos electorales.

El ejemplo mexicano ilustra cabalmente esta sincronización de los ciclos políticos y económicos. En aquel país, las crisis se produjeron, de hecho, con una regularidad de metrónomo. Las elecciones de 1976, 1982, 1988 y 1994 dieron lugar, todas ellas, a sacudidas financieras, crisis de la deuda o crisis bancarias de gran envergadura.

Ciclos políticos y ciclos económicos: el *timing* de las crisis del tipo de cambio en América Latina (1970–2000, en meses, tras la elección presidencial)

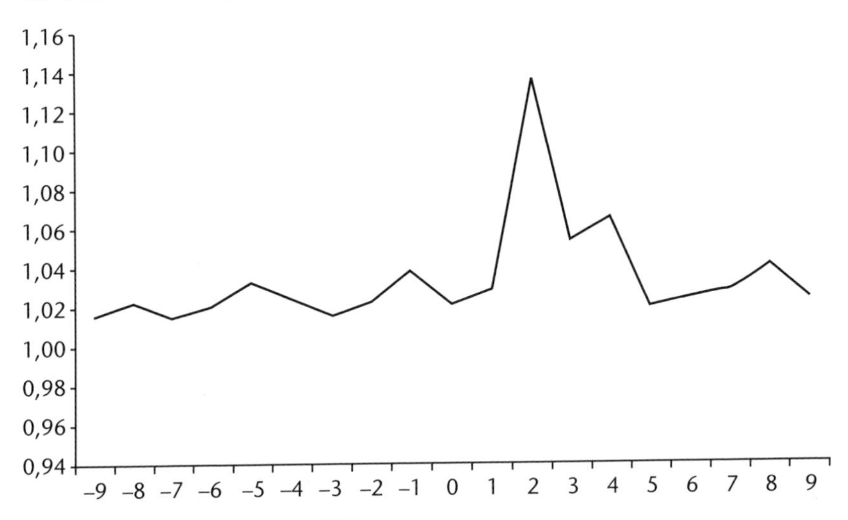

Fuente: Frieden, Ghezzi y Stein, 2001.

El desacople entre ciclos económicos y ciclos políticos tuvo lugar en el año 2000. Como se observa en el gráfico siguiente, las depreciaciones mensuales del tipo de cambio mostraban antes una tendencia a aumentar en años de elecciones presidenciales (señaladas por las zonas grises). Una de las paradojas mexicanas consiste en haber hecho gala de uno de los *timing* de crisis más regulares del mundo, pues la economía sufría cada seis años la sacudida de turbulencias surgidas en la huella de una elección. Desde ese punto de vista, el año 2000 marcó un hito. Por primera vez en su historia reciente, las elecciones no estuvieron acompañadas de turbulencias financieras. No sólo se vio alterada la correlación entre ciclo económico y ciclo político, sino que el país experimentó, además, una transición política de gran magnitud. Por primera vez en setenta años, el partido que ejercía el poder cedió la presidencia a un miembro de la oposición. Los mercados financieros celebraron esta transición de terciopelo mexicana. Las primas de riesgo se redujeron progresivamente y las

Tiempo de los estados y tiempo de los mercados:
***timing* de las elecciones y de las crisis en México, 1970–2000**
(porcentaje de depreciación del tipo de cambio)

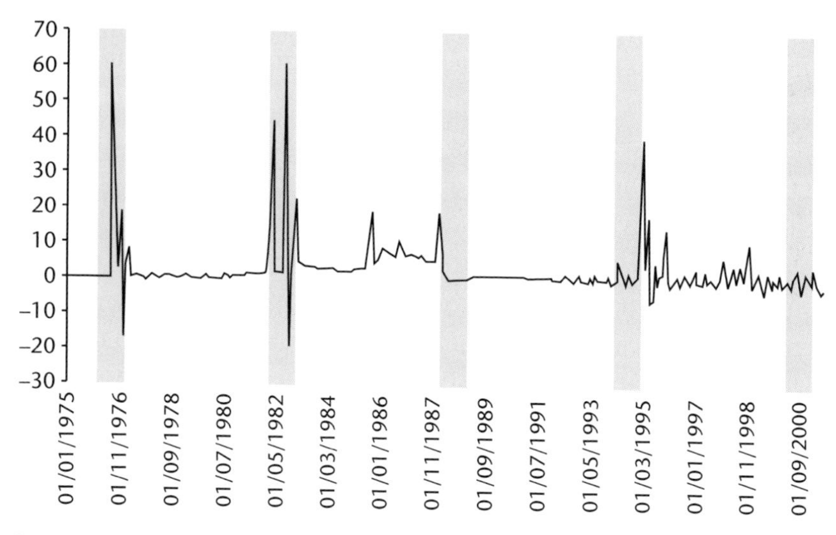

Fuente: Santiso y Blázquez, 2004.

agencias de *rating* aclamaron la noticia concediendo de inmediato a México el tan ansiado *investment grade*.

Del Efecto Tequila al Efecto Sangrita

En unos años, México conoció lo esencial de los vicios y las virtudes de las finanzas internacionales. Perdido en el laberinto de los radicales cambios de predicciones que se realizan desde Wall Street, el país se vio inmerso, sucesivamente, en el paraíso, el infierno y el purgatorio de los mercados financieros. Lo que llama la atención, al mirar atrás, es la extraordinaria recuperación que experimentó después de la crisis de 1994. Fue, sin duda, una de las grandes diferencias con respecto a la crisis de 1982, que vio prolongarse el ostracismo financiero durante casi siete años. Catorce años más tarde, bastaron escasos siete meses para que el país retornara a los mercados de capital internacionales y Wall Street apostara de nuevo por el *"Bravo New World"* en que a sus ojos se había convertido México. En la huella del acuerdo con Estados Unidos (transformado, como consecuencia de la crisis y el desembolso masivo de liquidez, en una especie de seguro contra todo riesgo), los mexicanos experimentaron una rápida recuperación macroeconómica, enganchando firmemente el vagón del crecimiento a la locomotora estadounidense.

Las elecciones parlamentarias de 1997 no hicieron sino consolidar esta renovación a ojos de los inversores internacionales. En México, la bolsa celebró la entrada definitiva en la era democrática con un alza de los valores. La victoria de la oposición era esperada, pero la moderación de las declaraciones posteriores a la votación sorprendió y contrastó con los deslices verbales de una campaña especialmente desabrida. La explicación de este regreso al estado de gracia radica, a la vez, en factores endógenos pero también, y sobre todo, exógenos. El plan de salvamento fue, en efecto, conducido e impulsado por dirigentes estadounidenses, deseosos de estabilizar lo antes posible a su vecino meridional, en un momento en que la democracia norteamericana estaba, ella misma, a las puertas de una elección presidencial (y con millones de pequeños ahorristas capturados en la trampa mexicana a causa de sus fondos mutuos y fondos de pensiones). Estos factores internacionales, unidos a la fase de expansión que atravesaba Estados Unidos, explican, en gran parte, la rapidez con que México pudo salir de la crisis.

México: ¿una economía (ex)emergente?

Cabe reconocer que los dirigentes mexicanos no fueron del todo ajenos a esta recuperación. El México de la "revolución institucionalizada" habla, en muchos aspectos, de una revolución tranquila, hecha de lentitudes pragmáticas y de aceleraciones posibilistas. Lentamente, reforma tras reforma, crisis tras crisis, la economía mexicana llevó a cabo una gran transformación de su aparato productivo, transformación que no tiene muchos equivalentes en el mundo tratándose de países emergentes. Esta gran transformación macroeconómica trajo aparejada, como ya vimos, la obtención del *investment grade* que le otorgaron las tres agencias de *rating* en 2000 y 2001. México pasó a integrar, así, un club muy selecto, que en América Latina sólo cuenta, entre las principales economías de la región, con el emblemático jaguar chileno. Como lo muestra el desacople entre las primas de riesgo mexicanas y las de sus vecinos latinoamericanos, la economía de México está siendo considerada por los mercados cada vez menos alineada con la de los países de América Latina. Los *spreads* mexicanos, o sea, las primas de riesgo, pasaron de más de 500 puntos básicos por encima de las obligaciones del Tesoro norteamericano a cerca de escasos 100 puntos básicos a principios de 2006. En ocasión de las sacudidas brasileñas del año 2002, esas primas apenas se movieron —claro indicio de la solidez mexicana—.

Correlación entre los *spreads* mexicanos y los latinoamericanos (en porcentajes)

	2 años antes*	1 año antes*	1 año después*
Argentina	88,33	88,32	32,42
Brasil	95,34	91,13	66,26
Colombia	76,33	87,45	33,58
Venezuela	79,13	89,12	74,87
EMBI+	96,96	93,9	73,34

Fuente: Rigobón, 2002.
* Antes del *up-grade* de Moody's en *investment grade* el 7 de marzo de 2000.

En realidad, esa consideración de los mercados financieros fue producto, también, de una transformación macroeconómica sin equivalentes. México llevó a cabo, en el transcurso de la última década, profundos cambios en su economía. El Tratado de Libre Comercio (TLC), que entró en vigor en 1994, lo amarró a Estados Unidos, concediéndole un anclaje de credibilidad exógeno similar a aquel del cual se pudo beneficiar España con su amarre a la Unión Europea. La parte más visible de esta transformación fue la comercial, ya que la economía experimentó un auge sin precedentes en sus exportaciones no petroleras. En unos años, la economía mexicana, que era de renta petrolera clásica, pasó a ser uno de los primeros exportadores mundiales de productos manufacturados. A comienzos de los años ochenta, las exportaciones petroleras representaban más de dos tercios del total; en 2005 significaban poco más de una décima parte del total.

Mientras tanto, las exportaciones de productos manufacturados experimentaron un crecimiento extraordinario. Según cálculos de José Antonio Ocampo, las exportaciones mexicanas de manufacturas de alta o media tecnología, con un fuerte valor agregado, constituían en 2000 cerca del 55% del total de las exportaciones. Por citar un ejemplo: para el campeón regional chileno, este mismo tipo de exportaciones representaba apenas el 6,5% (en Brasil, dos tercios de las exportaciones del país tienen un alto valor agregado). El grado de apertura de la economía mexicana, estimado en la renta de las importaciones sumadas a las exportaciones sobre el PIB, aumentó del 27% en 1994 a más del 60% en 2004. La economía también se volvió más competitiva y aumentó su participación en el total del comercio mundial. En 1984, las exportaciones mexicanas representaban el 1,4% del total mundial; veinte años más tarde sobrepasan el 2,6% de ese total.

Las inversiones realizadas en el extranjero constituyen la otra cara de la internacionalización de la economía mexicana. México no sólo presenta una de las mayores tasas de apertura comercial de los países emergentes, con ventas internacionales de sus empresas realizadas principalmente en Estados Unidos, sino que, además, un buen número de éstas ha iniciado una fase de actividad internacional volcada a tener mayor presencia directa en otros mercados, con instalaciones o adquisiciones importantes. El conglomerado Alfa, con base en Monterrey, muestra asociaciones y alianzas estratégicas con más de veinte empresas de Estados Unidos, Japón, Europa, Sudamérica y México, que son líderes en sus respectivos campos de actividad.

El gigante de las telecomunicaciones Telmex se ha convertido en uno de los grandes competidores de Telefónica en América Latina. Con su homólogo América Móvil, multiplicaron las adquisiciones en la región, completando sus franquicias en apenas un par de años. En 2005, América Móvil siguió completando su franquicia en la región. En asociación con Bell Canadá Inc. y SBC International, ha creado *Telecom Americas* como principal vehículo de expansión en América Latina. América Móvil tiene hoy en día subsidiarias y coinversiones en el sector de telecomunicaciones en Guatemala, Ecuador, Argentina, Brasil, Colombia, Venezuela, Estados Unidos, Puerto Rico, México y España. En otros sectores se destacan igualmente, por su actividad internacional, empresas como la cervecera Grupo Modelo, con presencia en más de 150 países.

En 2005, apenas diez años después su despegue internacional, la cementera Cemex, uno de los líderes mundiales en su sector, cuenta ya con filiales no sólo en América Latina, sino también en Estados Unidos, Reino Unido y España; Egipto, Indonesia y Filipinas. Con presencia en cuatro continentes y más de US$15.000 millones invertidos en el extranjero, la cementera mexicana aparece como la punta de lanza de la internacionalización de las transnacionales latinoamericanas. En 2005 efectuó una de las operaciones de mayor calado realizadas por una empresa del sur del continente, merced a la compra, por casi US$6.000 millones, de la inglesa RMC. Con esta adquisición, las ventas en México pasaron a representar el 18% del total, por detrás de Estados Unidos y sobre todo de Europa, que constituyó en 2005 el mayor mercado de Cemex, con alrededor del 45% del total de sus ventas (España representa el 11% y el Reino Unido el 12%).

Esta transformación comercial y empresarial no tiene precedentes en América Latina. Supera, incluso, a la del líder regional en materia de dinamismo y de inserción comercial internacional, que es Chile, si tenemos en cuenta que el peso de las exportaciones de productos primarios en este país es claramente superior al de México. Como lo evidencian los gráficos siguientes acerca de los índices de concentración Herfindahl-Hirschman (HH) —que miden la concentración o dispersión de las exportaciones por productos o países, y en los cuales el valor 1 representa una concentración máxima, y el valor 0, por el contrario, una diversificación máxima—, la dependencia con respecto a las materias primas continúa siendo importante en la región. Numerosos países siguen dependiendo de determinados productos. La gran excepción es México. Entre los períodos 1986–1988 y 1999–2001, la participación de los productos primarios en el total del comercio regional, aunque se ha reducido, pasando del 74% al 45%, continúa siendo elevada. El reciente aumento de la demanda china, que influye positivamente en los países exportadores de soja, como Argentina y Brasil, o de cobre, como Chile y Perú, puede mantener o acrecentar esta dependencia. Paralelamente a esta tendencia a la reducción (relativa) de la dependencia con respecto a las materias primas, se registra una duplicación de las exportaciones de manufacturas, que pasaron del 26% al 55% entre los períodos

Índice Herfindahl-Hirschman de exportaciones latinoamericanas por tipo de producto (1986–1988 y 1999–2001)

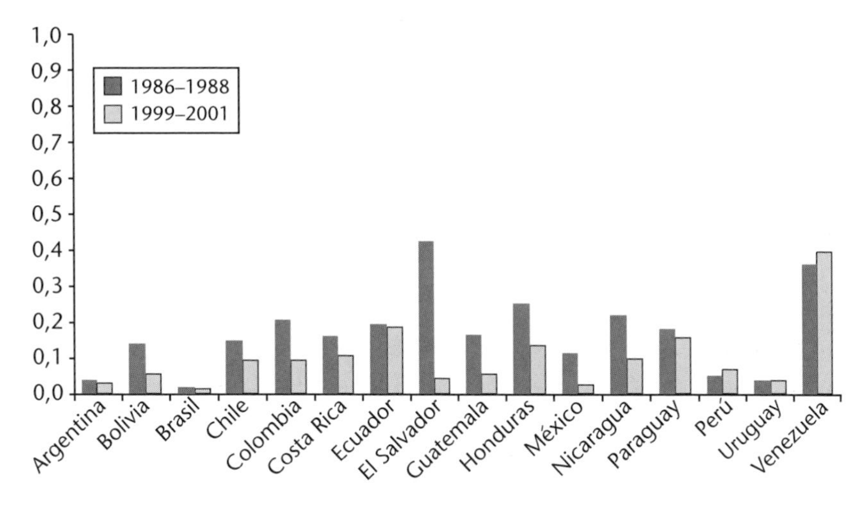

Fuente: CEPAL, 2003.

mencionados. Pero este logro se explica, en gran parte, por el desempeño mexicano, que a comienzos del nuevo siglo ostenta uno de los índices más bajos de la región en cuanto a que las exportaciones dependan de uno o varios productos, con una reducción notable de la concentración por producto en sus exportaciones.

El segundo de estos gráficos pone en evidencia una de las debilidades relativas (o fuerzas, según el ciclo de expansión de su vecino) que implica la fuerte dependencia geográfica de las exportaciones mexicanas. Estados Unidos absorbe, en efecto, cerca del 85% del total de ellas. Esta dependencia geográfica incluso se acentuó entre los períodos 1986–1988 y 1999–2001, y el índice HH por país aumentó de manera significativa, pasando de 0,45 a 0,78.

Esta transformación del aparato mexicano de producción y exportación trajo aparejada una notable reducción de la volatilidad de las exportaciones y de los ingresos fiscales del país. La volatilidad de la tasa de crecimiento de los bienes exportados por México, estimada como desviación estándar, pasó, así, de más del 16% durante el

Índice Herfindahl-Hirschman de exportaciones latinoamericanas por países de destino (1986–1988 y 1999–2001)

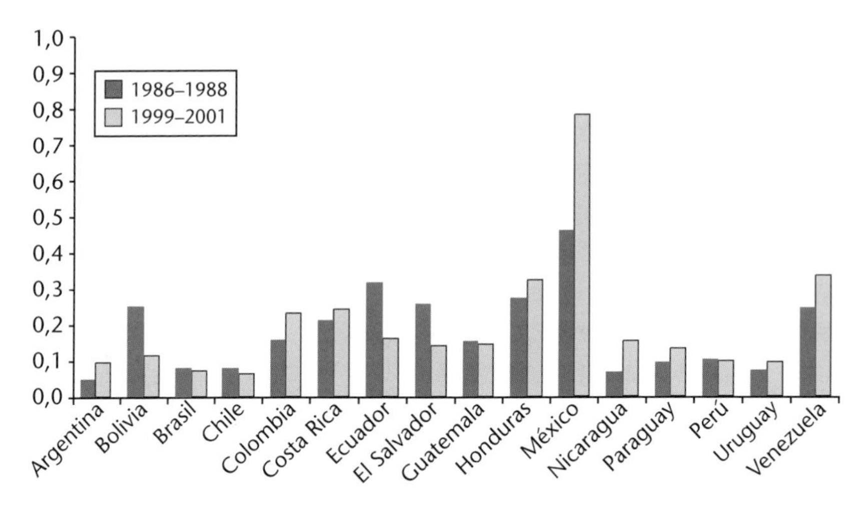

Fuente: CEPAL, 2003.

período 1984–1993 al 7% en el período 1994–2004. Paralelamente a esta reducción de la volatilidad de las ganancias provenientes de las exportaciones, los ingresos fiscales del país, hasta entonces dependientes en su mayor parte del petróleo y, por tanto, de precios relativamente volátiles, se estabilizaron. Las rentas derivadas del petróleo no representan ya más que un tercio del total. Uno de los retos futuros para México continúa siendo, no obstante, el aumento de sus ingresos fiscales, pues la recaudación fiscal no supera el 15% del PIB (en Brasil, en el otro extremo del continente, llegó a cerca de 38% del PIB en 2005). Aun así, el país ha sabido, en pocos años, consolidar una notable política rigurosa, reduciendo de modo drástico el déficit presupuestario y sosteniendo un control de gastos elogiado por la comunidad internacional.

Simultáneamente con este primer anclaje de credibilidad endógena en materia de política fiscal, México pudo lograr otro en materia de política monetaria. La política monetaria desarrollada por Guillermo Ortiz al frente del Banco Central permitió poner freno a la inflación, que se redujo cerca de 15 puntos entre 1998 y 2002. La implementación de un sistema de *inflation targeting* cuyo objetivo explícito era una inflación del 3%, con un margen de tolerancia de más o menos el 1 %, posibilitó la convergencia de la inflación con Estados Unidos. Entre 1999 y 2001 se alcanzó el objetivo fijado, en 2002 fue ligeramente sobrepasado, y de nuevo se lo alcanzó en 2003, con una inflación promedio estabilizada en alrededor del 4,6% (en 2004 llegó nuevamente al 5%, para volver a situarse en torno del 3% el año siguiente, todo un récord de convergencia con Estados Unidos). En consonancia con la solidez monetaria, se registraron también avances institucionales, con una independencia cada vez mayor del Banco Central. Desde este punto de vista, es importante señalar que las autoridades mexicanas lograron desacoplar el *timing* entre las elecciones presidenciales y el nombramiento del presidente del Banco Central. Al proceder a esa desvinculación de las temporalidades institucionales de la presidencia y del Banco Central, el país se dotó de un elemento extra de estabilización.

México padece, claro está, males de importancia, como todos los países: males ligados a las diferencias de renta, a la pobreza, a las deficiencias de su sistema de recaudación fiscal. La otra cara del milagro mexicano continúa siendo, claramente, el aspecto social, la falta de inversión y las necesidades insatisfechas en materia de educación y sanidad. La clave de este desafío reside en una reforma fiscal de envergadura, que pueda atraer una mayor recaudación hacia las arcas del Estado y aumentar así los gastos en materia de reformas de segunda generación, ya no sólo económicas, sino también sociales. Es cierto que la proximidad de la locomotora estadounidense representa una ventaja decisiva para asegurar el desarrollo de la economía mexicana, y así lo confirma la trayectoria cada vez más sincronizada de ésta con el ciclo norteamericano desde 1994. Como la España de los años ochenta, cuyo despegue económico fue impulsado por la dinámica europea, México se beneficia también de un anclaje de credibilidad exógena de primera calidad. Como España en 1959, México atravesó una crisis de gran calado en 1982, que obligó a las autoridades a emprender un proceso de reformas graduales. Tanto en uno como en otro caso, a las crisis y aperturas económicas graduales las siguió, casi veinte años después, una transición política: en 1975–77 la de España y en 1997–2000 la de México. En ambos casos, por último, el amarre internacional, vía Europa para España en 1986, vía Estados Unidos para México en 1994, fue decisivo para su despegue.

Esta dependencia respecto de Estados Unidos expone a la economía mexicana, ciertamente, a los contragolpes de los ciclos norteamericanos, pero un vínculo de este tipo constituye una ventaja sin igual. México es, en efecto, el único país en desarrollo que goza de una frontera directa con la economía más importante del mundo. Esta proximidad actúa, simultáneamente, como un imán y como una garantía de desarrollo. Un imán, porque Estados Unidos atrae tanto a los productos como a los ciudadanos mexicanos, y con ellos, es el conjunto del PIB mexicano el que se ve impulsado hacia lo alto. Una garantía, asimismo, porque el amarre a Estados Unidos funciona como un seguro contra todo riesgo, como lo demostró el ejemplo de la crisis del Efecto Tequila en 1994.

Cabe decir también que estos lazos entre las dos orillas del río Grande van bastante más allá de simples conexiones económicas y financieras, dado que se extienden hacia los ámbitos social, político, cultural e institucional. Así, el TLC dejó caer sobre México una fina lluvia institucional, pues el país ajusta sus normas contables y jurídicas a los estándares de su vecino. Los millones de inmigrantes mexicanos que habitan en Estados Unidos hacen llegar a sus familias sumas superiores a la inversión extranjera directa de las transnacionales, a un ritmo equivalente a US$1 millón al mes, constituyendo una auténtica lluvia fina que se extiende sobre todo el tejido social mexicano. En Estados Unidos, el peso económico y político de aquéllos también va en aumento, como lo demuestran año tras año las elecciones estadounidenses. Desde ambos márgenes se tejen, por tanto, lazos que van mucho más allá de la fría estadística económica.

De modo pragmático, sin precipitarse, adecuando la apertura económica y política al dominio del Estado sobre el oro negro del país y las principales fuentes de energía, el México del siglo XXI desarrolla también una trayectoria inédita de avances graduales, con toques sucesivos, alejada de los impulsos revolucionarios y de los maximalismos ideológicos. La gran diferencia con sus vecinos chilenos y brasileños es que esta invención se lleva adelante a la sombra del gigante norteamericano. México, como ningún otro país del continente, se beneficia con un as en su juego posibilista. Le pisa los talones a su primo chileno, que en el período 1993–2005 no ha cometido ninguno de los errores que podía haberlo privado del precioso *investment grade,* y conserva esta calificación año tras año. Con cinco años ininterrumpidos de *investment grade,* México ha entrado también en esta carrera del desarrollo equilibrado. Sus dirigentes saben que un título semejante puede perderse (como fue el caso de Colombia, que se benefició de él durante seis años antes de perderlo). No obstante, se puede apostar a que, con sus anclajes de credibilidad endógena y exógena, México no se desviará ya de su trayectoria y seguirá navegando lejos de los arrecifes de las políticas económicas de lo imposible.

Capítulo 7
La emergencia de una economía política de lo posible

> "Hemos aprendido que para tratar los problemas múltiples y complejos del desarrollo debemos elaborar generalizaciones en todo tipo de campos y no escuchar, a semejanza de Ulises, el canto seductor del paradigma único."
>
> *Albert Hirschman.*

El posibilismo que emana de las experiencias chilena, brasileña o mexicana no es otra cosa que un enfoque de la economía política cuya esencia, según las propias palabras de Hirschman, "consiste en encontrar los medios de escapar de esas construcciones demasiado rígidas, y esto para cada caso dado". El uso de dicho término no significa, empero, que los latinoamericanos suscriban las ideas desarrolladas por Hirschman. La mayoría de ellos ignoran, en realidad, su nombre, aunque nada induce a pensar que si lo conocieran se inspirarían directamente en él. Sin embargo, esta etiqueta sí permite conceptualizar los cambios en curso, esto es, el paso del utopismo al posibilismo, de una práctica política y económica centrada en una visión del tiempo que le da más valor al futuro —o al pasado—, a una práctica más preocupada por el tiempo presente. En América Latina, el futuro ha dejado de ser el horizonte desde el cual se construye el presente, un lugar en el tiempo para un juicio final que sería formulado basándose en la fidelidad a paradigmas o modelos rígidamente importados.

La evolución fundamental que se ha dado en estas últimas décadas es, como lo escribió en su tiempo Hirschman, la del paso "de la confianza absoluta en la existencia de una solución radical de

trabajado en favor de críticas razonables de la economía de mercado, denunciando los *booms* y las interrupciones súbitas de los flujos de capitales, o los pecados originales de economías incapaces de acceder a los mercados financieros internacionales y que emiten en su propia moneda. Todos se han esforzado por proponer soluciones originales para paliar las carencias de la liberalización financiera, abogando por reformas mejores, que incidan en la calidad más que en la cantidad, particularmente en el terreno de la ingeniería institucional, haciendo votos no por una retirada drástica del Estado, sino, simplemente, por un lugar razonable para este último en la economía.

Estas críticas y propuestas se han generalizado, durante los últimos años, en la mayoría de los círculos de economistas. Universitarios de prestigio, como Barry Eichengreen en Berkeley, o Andrés Velasco y Dani Rodrik en Harvard, pero también personalidades de la industria financiera, como Avinash Persaud, cuestionan abiertamente el actual período de globalización financiera, situándolo en una perspectiva histórica o destacando sus límites y carencias. Sus reflexiones se inscriben en una reconsideración más general, compartida por numerosos economistas en Estados Unidos, ya sea del Banco Mundial, como el ex economista jefe y premio Nobel Joseph Stiglitz, o incluso dentro del propio FMI, como el antiguo economista jefe Kenneth Rogoff, crítico también con respecto a las disfunciones de los mercados de capitales, y en contra, sobre todo, de las debilidades crónicas de las economías emergentes dependientes del dólar y expuestas a los fenómenos de *"debt intolerance"* que golpean a los *"serial defaulters"*, es decir, a los países que arrastran una larga historia de crisis y de suspensiones del pago de sus deudas.

Esta conceptualización de los cambios que se están produciendo en América Latina, en favor de la emergencia de una economía política de lo posible, se ve convalidada por el hecho de que en países tan diferentes como México, Chile o Brasil, por no citar más que unos pocos, algunos actores políticos de primera línea se han aproximado a este pensamiento de lo posible. Tanto el presidente mexicano Salinas de Gortari como el ministro de Finanzas de

Aylwin, Alejandro Foxley, o el propio Fernando Henrique Cardoso, varias veces ministro antes de convertirse en presidente de Brasil en octubre de 1994 y de nuevo en octubre de 1998, todos ellos han abordado, de cerca o de lejos, el pensamiento de Hirschman. El primero, por haber sido alumno de él en Harvard; el segundo, por haberse beneficiado con su apoyo para la creación de uno de los primeros *think-tank* de la oposición chilena a mediados de los años setenta (CIEPLAN); y, finalmente, el tercero, por ser un asiduo lector de sus obras.

El itinerario intelectual y político de una personalidad como la de Fernando Henrique Cardoso confirma, además, por si fuera necesario, que tales conversiones al mercado y a una concepción de la democracia más centrada en la dimensión de procedimiento que en la teórica, difícilmente pueden ser reducidas al estricto juego de los intereses y las conveniencias. Cardoso era conocido y reconocido por sus escritos sobre el desarrollo, alineados con la teoría de la dependencia, fuertemente inspirada en el marxismo y el cepalismo. Fue la época en que este sociólogo, hijo de un general y descendiente de una gran familia brasileña, se deslizó del Partido Comunista brasileño. A partir de ahí, paralelamente a la apertura política del régimen militar, Cardoso reorientó su problemática teórica, y la democratización pasó a ocupar lo esencial de sus trabajos, desplazando a la dependencia. En 1975 se comprometió activamente en política. Fue elegido congresista suplente tres años más tarde y parlamentario titular en 1982. En esa época, las referencias a la dependencia, la lucha de clases o la explotación imperialista se disiparon con las brumas de los regímenes autoritarios. Las ideas tomadas del marxismo se desvanecieron; aparecieron nuevos objetos de interés, como la dimensión empresarial, pero, sobre todo, fueron enérgicamente revaluadas y revalorizadas las ideas de mercado y de democracia. Así, durante esta década, al experimentar él mismo la democracia como hombre político, Cardoso abandonó definitivamente el proyecto de reestructuración radical de la sociedad e hizo suyas las estrategias de racionalidad limitada.

Pasado imposible y futuro improbable: reconversión del pasado y reconstrucción del futuro

En Brasil, como en otros lugares de la región, asistimos a un reflujo considerable de las retóricas de intransigencia y a una mayor prudencia, incluso reticencia, a la hora de aplicar modelos preestablecidos. Dicho de otro modo, la buena noticia en Latinoamérica, a comienzos de este nuevo siglo, es la de una región en vías de deshacerse de un fantasma que durante mucho tiempo la ha obsesionado: el fantasma de una buena teoría que aportaría las leyes del desarrollo y de la cual se deduciría una fórmula simple y racional, que podría ser aplicada desde los Andes venezolanos hasta la Patagonia, válida tanto en Brasilia como en México.

A pesar de esta notable evolución, los estereotipos y los marcos de pensamiento forjados hace más de veinte años siguen vivos. Una década atrás, la insurrección de Chiapas en México demostró cómo aquel que *The Economist* calificó como el Robin Hood de la selva lacandona, pudo suscitar simpatías y despertó los arquetipos ocultos en la memoria. De repente, en el tiempo mundial de la democracia y del mercado, el tiempo del libre comercio y de las urnas al cual soñaba integrarse el México del presidente Salinas con la puesta en marcha del TLC, el Buen Revolucionario Marcos y sus guerrilleros zapatistas reavivaban otro tiempo, el de las revoluciones, el de los futuros radiantes. Con este episodio mexicano, el conjunto del continente, pero también Occidente, se dio el gusto de un arrebato en el que tercermundismo, indigenismo y revolucionarismo comulgaban nuevamente.

No obstante, más allá de eso, el episodio de Chiapas, si bien revela un pasado aún influyente (y no sólo aquel de los mitos, sino también el real de la miseria endémica de toda una región), muestra en su desenlace hasta qué punto se ha transformado el universo conceptual y concreto de lo político. Tras las elecciones del 21 de agosto de 1995, México no eligió la vía insurreccional, sino la vía institucional, la arena de las urnas contra la arena de las calles, para proceder a la anunciada democratización del país. Ésta sobrevino de modo inédito en las elecciones presidenciales de julio de 2000, con la victoria, por primera vez en la historia mexicana, de un opositor, en la persona de Vicente Fox.

El desencanto de los mexicanos con la democracia sobrevino, sin embargo, en julio de 2003. Tras varios años de crecimiento languideciente, en que el gobierno quedó atrapado en divisiones internas y el Parlamento se fue paralizando progresivamente, los electores castigaron al PAN (el partido del presidente) y el número de sus diputados disminuyó drásticamente (de 207 a 153). Se desvaneció, así, toda posibilidad de lograr reformas de envergadura en la segunda mitad del sexenio, y las últimas tentativas de hacer aprobar una reforma fiscal chocaron contra las divisiones internas y la severidad de la oposición en diciembre de 2003. De algún modo, el ejemplo mexicano ilustra las desventajas del posibilismo a ultranza, aplicado por gobiernos cuyos márgenes de maniobra en el Parlamento son estrechos y que se revelan incapaces de impulsar reformas fiscales o energéticas urgentes; todo ello, en un país en el cual los impuestos recaudan tan sólo el 15% del PIB (es decir, casi dos veces menos que en Turquía) y donde las necesidades de energía eléctrica, infraestructura, educación o sanidad condicionan el potencial de una economía que linda con la más poderosa del mundo.

Lo que corrobora el episodio zapatista mexicano y, en menor medida, el atraso de las reformas económicas de Fox, pero también el problema lancinante de los procesos contra los militares en Chile, el de la reconversión de los guerrilleros en Colombia, en Perú o en Centroamérica, es que el conjunto del continente se halla bajo el fuego cruzado de dos temporalidades: la de un pasado ya imposible y la de un futuro aún improbable. En efecto, parece que son dos temporalidades las que amordazan hoy al continente.

Por un lado, el pasado es problemático, se pretende salir de él, olvidar el rostro de los regímenes autoritarios, de las violencias revolucionarias y de las miserias endémicas que golpean, sobre todo, a las poblaciones indígenas (que una tras otra han ido dándose portavoces, organizándose y tomando las riendas, como lo demuestra la irrupción de Alejandro Toledo en Perú o de Evo Morales en Bolivia). Por ello, introducirse en los circuitos financieros internacionales o acelerar el desembarco de los nuevos conquistadores industriales son algunos de los muchos medios de explotar recursos para salir del atolladero del subdesarrollo y escapar así de esa temporalidad del pasado, esperando pasar a formar parte del glorioso tiempo del Primer Mundo. La gestión de ese pasado se presenta pues, en diversos aspectos, bajo la apariencia de un dilema que aviva las tensiones entre la ética de las convicciones y la ética de las consecuencias: o se olvidan las exacciones de los regímenes autoritarios y se asegura así la cohesión nacional, o se los sanciona jurídicamente, con riesgo de hacer mella en la gobernabilidad de los procesos en curso.

En cuanto al futuro, por otro lado, se vuelve tan incierto como problemático. Lo que se comprueba hoy en América Latina es, precisamente, una crisis de futuro, más que un exceso de "presentismo". Los horizontes temporales de lo político se han estrechado. Los países se han comprometido en políticas económicas de ajustes estructurales que son otros tantos ajustes temporales; políticas económicas más centradas en el presente que proyectadas hacia el futuro, o, dicho de otro modo, políticas económicas con la vista puesta en temporalidades de horizontes más limitados. ¿Qué significa para lo político este "silencio del mañana"? La respuesta, lejos de invitar a algún desconcierto, podría, por el contrario, incitar a un mayor optimismo. En efecto: el fracaso del futuro surgido con el final de los grandes paradigmas viene acompañado de un escepticismo creciente hacia el canto de sirenas de modelos políticos que proponen futuros lejanos e infinitamente mejores, invitando con ello al sacrificio del presente. El silencio del futuro, por muy perturbador que pueda ser, conlleva solapadamente un elemento positivo: con el estrechamiento de los horizontes temporales desaparece cierta visión del mundo, la época de los grandes paradigmas y axiomas infalibles en pos de una Edad de Oro siempre anunciada para mañana. De tal manera, el derrumbe —o la asfixia— del tiempo teleológico, la emergencia de un presente fragmentado, vienen acompañados no del cierre definitivo del futuro, sino de su apertura: el futuro, liberado de las exhortaciones de la historia, se transforma en un tiempo abierto.

Esta desvalorización del futuro constituye, innegablemente, una buena noticia, en un continente acostumbrado a las derivas de los mañanas prometedores, aun cuando dicha desvalorización acarree problemas. Buena noticia, porque de diferentes maneras —como lo demuestran las políticas de ajuste o de rigor presupuestario— la experiencia pragmática prevalece sobre la expectativa escatológica, expectativa que tradicionalmente no cesaba de hacer retroceder el futuro (el advenimiento de la democracia real o del hombre nuevo) hacia un mañana cada vez más lejano y fugitivo. En lugar de las edades de oro, pasadas o por venir, deviene un tiempo en que la preocupación por el presente es más acuciante, el tiempo de los equilibrios presupuestarios y de la inflación controlada; un tiempo, en definitiva, que trae aparejado el desgaste de aquellas expectativas escatológicas que conformaron en gran parte la historia latinoamericana, historia hecha a menudo de futuros radiantes pero siempre fuera del alcance. Esto, para un continente nacido como utopía —es decir, a la vez como lugar que no es pero también como un tiempo siempre por llegar—, constituye una novedad importante. Hoy, los horizontes más lejanos han dejado de ser prometedores o, en todo caso, de estar cargados de promesas mágicas.

Sin embargo, esta desaparición del futuro implica asperezas. Efectivamente, en política, una oferta se articula siempre alrededor de un futuro por construir. Como lo destaca Max Weber, "el cometido propio del hombre político" es, precisamente, "el porvenir y la responsabilidad ante el futuro". Construirlo —incluso con horizontes más limitados— constituye una de las dimensiones centrales de lo político. Canalizar dicho futuro, articularlo no ya bajo la forma de agendas fugitivas, sino más definidas y firmes, parece ser, asimismo, el desafío latinoamericano actual. Sin embargo, ya no se trata sólo de la reconversión del pasado, sino también —y quizá sobre todo— de la reconstrucción de un futuro común, de un futuro no ya utópico, sino posibilista. La armonización entre democracia política, crecimiento económico y equidad social orienta esta flecha del tiempo latinoamericano, flecha que señala, como lo escribió bella y acertadamente el sociólogo chileno Norbert Lechner, un "presente omnipresente", sobre el cual pasado y futuro proyectan uno su sombra y el otro sus silencios.

Capítulo 8
Del Orinoco a Tierra del Fuego: el duro deseo de durar

Más allá de las dificultades señaladas, inherentes al desvanecimiento de un horizonte de promesas en América Latina, es conveniente insistir en la multiplicidad de las trayectorias y de las paradojas. En numerosos países del continente, la emergencia del posibilismo se revela multiforme y se reviste, en algunos casos, de un singular hábito populista.

De Perú a Argentina, pasando por Venezuela, los años noventa fueron los del regreso de líderes más o menos carismáticos que practicaban tanto la efusión como la confusión de los sentimientos, el llamamiento al pueblo, a los más desposeídos, a todos los sin tierra que esperan que Godot venga a liberarlos de un tiempo sin horizontes. Estos mismos dirigentes se convirtieron en maestros del transformismo. Una vez elegidos, algunos pusieron en práctica amplias terapias liberales, ejemplificando a su manera el pragmatismo latinoamericano de este fin de siglo. El oportunismo electoralista cedió su lugar al reformismo, y una vez arrojado el guante de terciopelo populista, se descubrió una temible mano de hierro liberal. El neopopulismo de estos últimos años puede concebirse también como una versión inconfesable, una autosubversión, de la gran transformación latinoamericana que hemos señalado.

Trátese de Carlos Menem en Argentina, de Alberto Fujimori en Perú o de Hugo Banzer en Bolivia, la secuencia, con algunas variantes, demostró ser siempre la misma: campañas electorales *antiestablishment* y antiliberales, y después, transformismo y lanzamiento —con frecuencia, a ritmo vertiginoso— de trenes de reformas liberales que harían palidecer a cualquier conductor de convoy monetarista. Una vez que la población hubo tragado la píldora amarga, lo esencial para el funámbulo neopopulista radicó en mantener el equilibrio en las encuestas y, a veces, hacerse reelegir. Dicho de otro modo, su línea de conducta consistió, en esencia, en llamar al pueblo y entregarse a él, tratando de satisfacer durante el mayor tiempo posible sus expectativas, pero conciliando siempre tácticas de corto plazo y estrategias de plazo más largo. De la tensión entre estas dos temporalidades nace una gestión particularmente pragmática, es decir, oportunista, que zigzaguea entre un registro de economía política populista (promesa de beneficios redistributivos inmediatos e indoloros) y medidas antipopulistas (amortizar el costo de las reformas entre los diferentes sectores en conflicto). El neoliberalismo se ha instituido así, en cierta forma, por sorpresa.

A medio camino entre el gobierno democrático *pro tempore*, siempre enmarcado en límites temporales predefinidos, y el gobierno autoritario, que no aspira más que a abstraerse de las coerciones temporales de la vida democrática, el funámbulo neopopulista está inserto en un intervalo temporal. Tanto Menem como Fujimori apelaron a las prórrogas de sus mandatos, incluso a sabiendas de que éstas no podían ser indefinidas. Porque estos líderes —al menos, en el caso de Menem— no cuestionaron en modo alguno los recursos fundamentales de la democracia en materia política, así como en materia económica tampoco renegaron del funcionamiento de las leyes del mercado. Uno y otro jugaron en registros temporales distintos: uno, en el de corto plazo, cuyo objetivo era hacer tragar la píldora de las reformas agitando, según la necesidad, el pañuelo populista; el otro, orientado hacia un horizonte más largo, apuntando resueltamente a la reelección. Estos mismos líderes parecen haber integrado una apuesta política que los diferencia de sus predecesores. Lejos de apostar sólo por la miopía populista (estrategia a corto plazo de redistribución de las rentas y de los fondos públicos, con la finalidad de obtener el apoyo de la población), lo hicieron, al contrario, por el ajuste estructural, conscientes de los costos previsibles a corto plazo en lo que respecta a empleo y caída de los salarios, pero sabiendo también que el pueblo no puede ser totalmente engañado por los *trade off* intemporales. Los aumentos de salarios y las políticas presupuestarias flexibles de hoy no auguran un mañana mejor, sino que generan los incrementos de impuestos de mañana y, a la larga, ajustes todavía más dolorosos.

Argentina, o el canto de las sirenas

Menem no fue Perón, ni el menemismo se reduce al peronismo. Lo cierto es que la Argentina del tándem Menem-Cavallo puso en práctica una de las reformas más amplias experimentadas en los años ochenta por un país latinoamericano. No dudaron en abandonar parcelas enteras de la soberanía monetaria cuando aplicaron, en 1991, la convertibilidad, verdadera camisa de fuerza cuyo objetivo principal era detener la hiperinflación e impedir que el gobierno monetizara su déficit o, lo que es lo mismo, se abandonara a una macroeconomía populista. Dicho tándem fue, durante un tiempo, temiblemente hábil en el arte de hacer tragar la píldora amarga del ajuste estructural, actuando al mismo tiempo en el papel populista (de uso interno) y en el tecnócrata (de uso externo), hasta 1999, año en que Menem renunció definitivamente a su "reelección".

Así como pretendía la satisfacción de los electores argentinos, el menemismo intentó, paralelamente, ser también del gusto de otro tipo de elector, interesante desde el punto de vista financiero. Sometida, como muchos Estados de la región, a importantes necesidades en materia de financiamiento de la balanza de pagos corrientes y, por tanto, a los flujos financieros internacionales, la Argentina de Menem debió también seducir, en gran escala, al pueblo de los inversores internacionales. Si la expresión no fuera exagerada, se podría hablar de populismo de dos caras: los funámbulos neopopulistas y liberales obligados a ejercitarse en el difícil y delicado arte de satisfacer a dos amantes a la vez —y esto, sin que una de ellas se ofusque por las proposiciones hechas a su rival—. Este juego de confianza y

más destacado. Porque, en definitiva, detrás de las instituciones se halla la famosa gobernabilidad o, dicho de otro modo, la capacidad o incapacidad de gobernar, de generar normas e instituciones estables. Los últimos trabajos de economistas como Daron Acemoglu o Stephen Haber no hacen sino ponerlo aún más en evidencia y profundizan el surco de un análisis de tintes posibilistas. Una de las dificultades inherentes a las reformas y a la consolidación institucional estriba, sin embargo, en su dinámica temporal. Las reformas llamadas de "primera generación" (privatizaciones, desregulaciones, liberalizaciones, etc.), aunque políticamente rentables a corto plazo, no pueden prescindir de las de "segunda generación", orientadas a los sistemas educativo y sanitario o a la infraestructura, al entramado institucional económico y jurídico. Y éstas no destilan sus efectos sino años más tarde, a menudo demasiado tarde como para que los reformadores encaramados en el poder, pero acotados en mandatos breves, puedan cosechar los dividendos políticos de su gesta reformadora. Esta coerción temporal constituye, sin duda, uno de los grandes desafíos de esta década para América Latina.

Venezuela: Hugo Chávez

El caso del último gran brote populista latinoamericano es completamente distinto. En Venezuela, la retórica populista es también omnipresente, pero, al contrario de lo que ocurrió con los vecinos del sur, el presidente Hugo Chávez no tuvo que enfrentarse a una situación similar, en términos temporales, a la que padeció Argentina a principios de los años noventa.

En efecto: cuando Carlos Menem, candidato del Partido Justicialista, accedió a la presidencia en 1989, heredó una economía desquiciada —al igual que Chávez, diez años más tarde, en Venezuela—, pero con una diferencia de peso entre ambos países: Argentina, al contrario que Venezuela, sufrió un *shock* macroeconómico de gran magnitud. La hiperinflación, que alcanzó al 3.000% en 1989, provocó una drástica contracción de la inversión y del crecimiento. Sometidos a una aceleración de la inflación sin precedentes, los argentinos experimentaron un notorio estrechamiento de sus horizontes temporales. Desde 1985, el plazo máximo para las operaciones de crédito no pasaba de los 7 días, frente a los 90 días de los tiempos normales. A partir de este *shock* temporal hiperinflacionario, toda dimensión utópica, toda capacidad de proyección o de proyecto, se vio obstaculizada. El país estaba expectante para asumir cualquier tipo de terapia, aunque fuera de *shock*, capaz de romper la espiral inflacionaria. Al *shock* temporal de la hiperinflación lo siguió su remedio: el ajuste estructural y la implantación de una camisa de fuerza, la convertibilidad. Desde entonces, los relojes de la economía argentina volvieron a ponerse en hora y el tándem se apoyó en un "consenso de huida hacia adelante", pues la legitimidad de la acción llevada a cabo se basaba no tanto en una improbable eficacia futura de las reformas, sino en el profundo deseo de los argentinos de escapar al doloroso infierno del presente hiperinflacionario.

En Venezuela, en cambio, a pesar de la severa crisis económica que afectaba al país, no hubo semejante *shock* temporal. La diferencia fundamental entre las dos economías la imponía una variable: el petróleo. Como en ningún otro país de América, la renta petrolera ha sido en Venezuela, al mismo tiempo, una bendición y una maldición. Ha dotado a la nación de una riqueza incomparable, pero también la ha expuesto a los sobresaltos de los mercados petroleros. Recordemos que incluso bajo Chávez la dependencia de la economía venezolana respecto del petróleo se acentuó con relación a años anteriores. Así, los hidrocarburos representaron cerca del 85% de las exportaciones del país en 2005 (frente al 70% en 1999), el 30% del PIB (frente al 25% en 1999) y alrededor del 55% de sus ingresos fiscales (frente al 38% en 1999). De hecho, la economía venezolana experimenta periódicamente bruscos golpes de acordeón: cada dólar perdido (o ganado) se traduce en una pérdida (o una ganancia) de US$1.000 millones de exportaciones, es decir, algo más del 1% del

PIB, y en una contracción (o un aumento) de los ingresos fiscales de cerca del 0,5% del PIB. Venezuela ostenta una fuerte dependencia económica del oro negro, la mayor del continente.

Sin embargo, una renta semejante les brinda a los gobernantes venezolanos cierta seguridad en el porvenir, es decir, un horizonte temporal más prolongado que el de la economía argentina. En Venezuela, el consenso acerca de una huida hacia adelante está basado menos en el rechazo de un pasado doloroso que en un abanico de promesas, con la esperanza de un futuro mejor, de un regreso a la Edad de Oro que los venezolanos conocieron cuando el *boom* del petróleo transformó la economía en un (efímero) realismo mágico. Recordemos que Venezuela rebosa de recursos petroleros, cuyas reservas están estimadas en más de sesenta años de producción al ritmo actual. Con tal horizonte temporal, a los dirigentes les resulta difícil implementar reformas drásticas o un ajuste estructural política y económicamente costoso. En el caso de Chávez, la retórica de las promesas se ha visto reforzada por la recuperación de la cotización del petróleo, consolidada entre 2002 y 2005, una recuperación que no sólo tranquilizó la economía, sino que también alejó el fantasma de medidas por demás impopulares.

Sea como fuere, los puntos de apoyo (y las fragilidades) del chavismo son muy diferentes de los del menemismo. Innegablemente, Chávez comparte con el líder argentino una misma voluntad de acelerar el ritmo de la transformación económica del país, haciendo uso de todo el arsenal disponible de referendos y de consultas (seis consultas en menos de dos años de gobierno, entre 1999 y 2000), así como de la vía de la urgencia para el establecimiento de una nueva Constitución (el plazo inicial de seis meses para llegar a la redacción de una nueva carta magna fue reducido a algunas semanas). Pero la cuestión sigue abierta: Chávez, a semejanza de Menem, ¿se decidirá a desviar a tiempo su rumbo de la demagogia y evitar así los arrecifes de la macroeconomía populista?

Las pugnas verbales maximalistas y las posturas de confrontación fueron en aumento y provocaron la radicalización de una oposición unida tan sólo por el rechazo hacia un presidente populista elegido democráticamente, una oposición que dilapidó en tiempo récord lo esencial de su capital político. En 2002, la crisis política se tornó más severa, el país abandonó el sistema de bandas de cambio y optó por volver a dejar flotar la moneda en febrero (un año más tarde, Chávez endureció la alternativa intervencionista, optando por el control de cambios). En diciembre de 2002, el presidente quedó atrapado en una huelga general que se extendió a la economía petrolera y paralizó todo el país. La trayectoria venezolana es una demostración, por si fuera necesario, de lo tenaces que pueden llegar a ser los resabios del utopismo.

A pesar de todo, el presidente Chávez se entregó al mismo doble juego de seducción del que Menem se había convertido en maestro: satisfacer a sus conciudadanos sin trastornar, al mismo tiempo, a los inversores extranjeros. Así, la fraseología de la revolución chavista tuvo su doble también en un discurso *high tech*, destinado a seducir a los inversores o, en todo caso, a frenar sus veleidades de evasión, evasión practicada, además, con brío por los venezolanos con fortuna, pues los activos que estos últimos tienen en el extranjero se estiman en más de US$20.000 millones, es decir, la quinta parte del PIB nacional. Los esfuerzos de esta operación de seducción hacia los votos financieros se revelaron, sin embargo, menos convincentes que los de su homólogo argentino, a juzgar por las reacciones de los operadores financieros y de las agencias de *rating*. De hecho, una de ellas, Moody's, lejos de dejarse llevar por la ola de entusiasmo chavista de la campaña, que continuó luego de la elección presidencial de diciembre de 1998, confirmó, en pleno período electoral, su nota soberana reajustada a la baja en dos ocasiones: en julio y septiembre de 1998.

Por el contrario, la reacción de los mercados frente a la tentativa de golpe de Estado de abril de 2002 rozó la euforia. El precio de las acciones más líquidas de la Bolsa de Caracas se elevó a niveles récord, y el índice aumentó cerca de 1.000 puntos en una sola jornada (y volvió a caer cuando fue abortada la tentativa). También

Efecto Chávez en los mercados financieros: la tentativa de golpe de Estado abortada

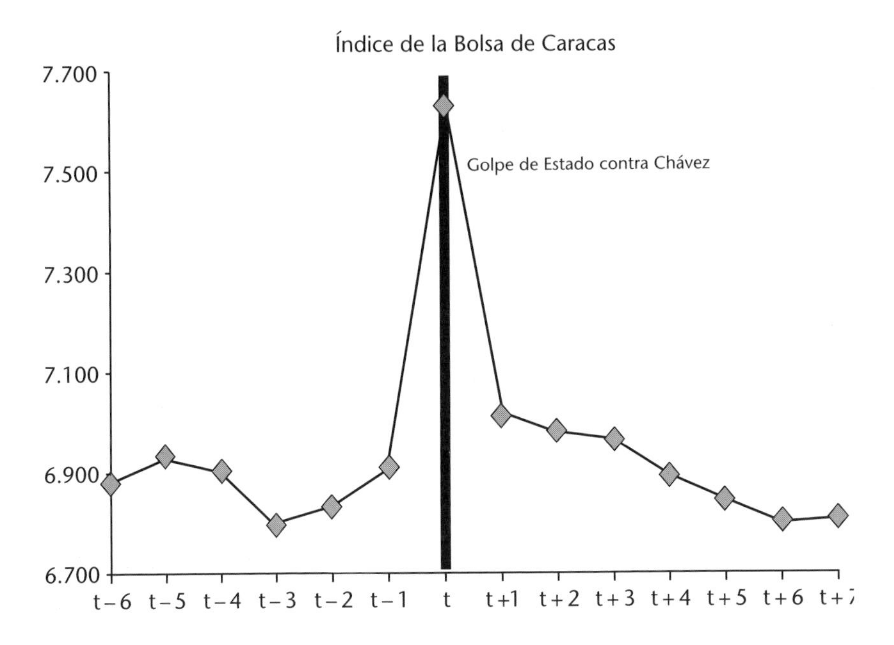

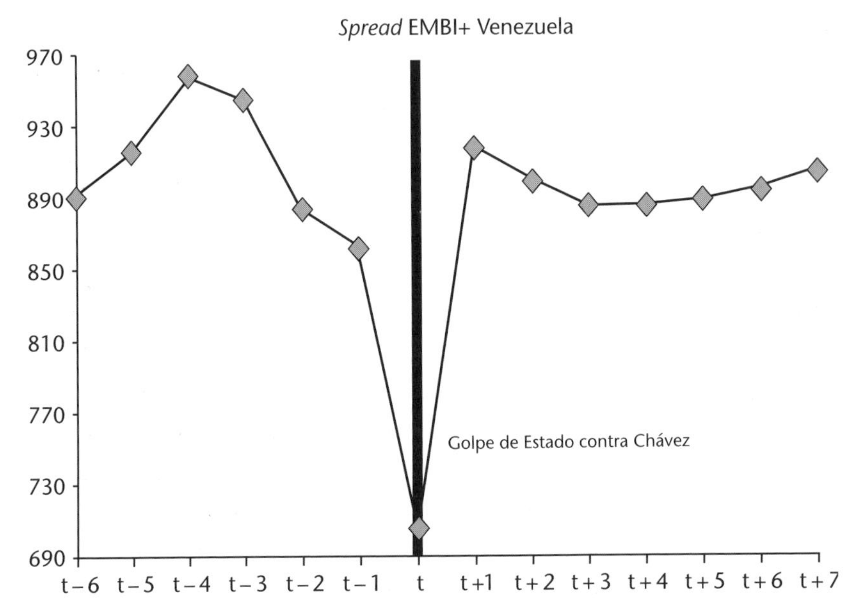

Fuente: BBVA Provincial, 2005.

Venezuela: caída de la inversión y del poder adquisitivo en el último cuarto de siglo, 1957–2003 (en porcentaje)

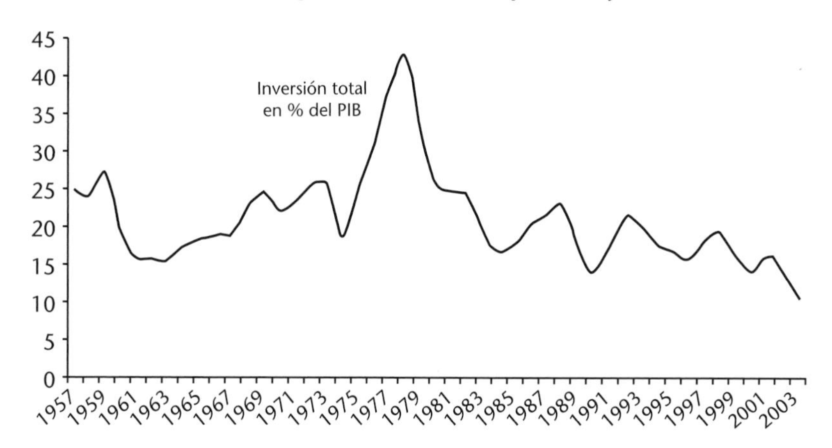

Fuente: BBVA Continental, 2005.

los *spreads* reflejaron este entusiasmo, cayendo cerca de doscientos puntos básicos (para reajustarse al alza de nuevo apenas se conoció la noticia del regreso de Chávez). Desde finales de 2003, los *spreads* venezolanos, es decir, las primas de riesgo exigidas por los inversores extranjeros, se mantuvieron particularmente bajos, a causa del alza del precio del petróleo —que anestesia (y salvaguarda) las economías petroleras como la de Venezuela— y del exceso de liquidez internacional, que se volcó en parte hacia los países emergentes en busca de rentabilidad.

La experiencia chavista culminó con una contracción espectacular del PIB venezolano en 2002 y 2003 (–9% para estos dos años), inédita desde los años treinta y acompañada de una escalada del desempleo igual de abrupta (el 18% de la población activa en 2003). El voto de desconfianza de los venezolanos acomodados, a juzgar por la fuga de capitales —que entre 1999 y 2003 se elevó a más de US$35.000 millones—, fue también masivo. La fuga de capitales representaba ya —conviene recordarlo— más del 6% del PIB antes de la llegada de Chávez al poder. Aumentó después, y se duplicó a principios de los 2000, alcanzando cerca del 12% del PIB. Chávez no hizo más que acentuar, a veces hasta el extremo, algunas de las debilidades recurrentes de una economía de renta petrolera. El análisis de los niveles de inversión confirma, por sí solo, hasta qué punto vienen de lejos los problemas de la economía venezolana. Estos niveles de inversión, tanto públicos como privados, se derrumbaron de manera ininterrumpida, con aceleraciones puntuales (la última de ellas, en el actual período chavista), pero no sólo tras la llegada de Chávez en 1999, sino desde fines de los setenta.

También el poder adquisitivo de los venezolanos se fue deteriorando desde el final del *shock* petrolero de los años setenta. Durante el último cuarto de siglo, Venezuela sufrió nueve recesiones. Floreciente en el período 1960–1980 (con un crecimiento medio cercano al 5,5%, uno de los más elevados de la región), la economía venezolana se estancó después en un crecimiento de apenas el 0,25% del PIB entre 1980 y 2002, para sumergirse luego en una de las recesiones más severas de las siete últimas décadas, en 2002–2003 (antes de volver a crecer, por efecto rebote e impulso del petróleo, cerca del 18% en 2004 y de nuevo más del 9% en 2005). En este período, los ingresos por habitante cayeron drásticamente, a punto tal que a comienzos del nuevo siglo eran similares a los niveles de los años cuarenta y cincuenta. En los últimos veinticinco años, el crecimiento medio del PIB fue del 0,8%, en tanto que la población aumentó el 2,7%. En 1965, el PIB por habitante de Venezuela representaba el 120% del de los países desarrollados y cerca del 500% del de los países del Asia del Sudeste. En 2000, no representaba más que el 40% de los países desarrollados y menos del 75% de los países del Asia del Sudeste. La productividad de los trabajadores del sector no petrolífero ha disminuido un 50% desde 1980.

Esta volatilidad macroecónomica halla eco en una volatilidad política caracterizada por un especial aumento del nivel de rotación parlamentaria: en tanto que en los años ochenta la volatilidad parlamentaria era una de las más bajas del continente, sin sobrepasar la media del 15% anual, en la década siguiente llegó a cerca del 40% (la más elevada del continente, junto con Perú, durante

PIB per cápita, en Bs. de 1984

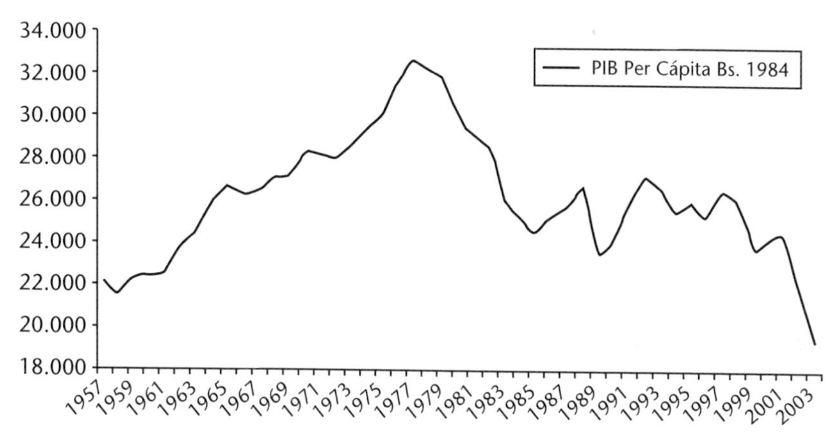

Fuente: BBVA Continental, 2005.

los noventa). Dicho de otro modo, la caída no sólo fue vertiginosa, sino que se venía manifestando mucho antes de la llegada de Chávez.

Innegablemente, la trayectoria venezolana confirma cuán diversas son aún las Américas, así como también que algunos dirigentes se manifiestan particularmente reacios y contrarios a que un retoño posibilista brote en su suelo. Venezuela es, además, uno de los países donde el progreso de las reformas ha sido más leve. Esta situación podría, no obstante, suponer una ventaja y revelarse en el futuro como una suerte camuflada, un *"blessing in disguise"*, como diría Hirschman. Los dirigentes futuros del "poschavismo" podrían inspirarse en situaciones pasadas y capitalizar el potencial de una economía que sigue siendo una de las grandes promesas (incumplidas) de América Latina. Como ejemplo, recordemos que la empresa petrolera estatal (PDVSA) tendría, en caso de privatización, un valor de mercado equivalente al doble del PIB del país y casi diez veces superior al valor de la deuda pública externa de éste. El potencial venezolano, en tal sentido, es uno de los más extraordinarios de la región. Para comprobarlo, basta con echar una mirada a su historia, cuando el crecimiento potencial del PIB alcanzaba, en los años setenta, a más del 5%. Activando las palancas de la inversión y de la productividad, Venezuela, que está dotada de riquezas naturales sin parangón en la región y de un sólido potencial reformador, podría volver a encaminarse por un sendero de crecimiento bastante más sólido y menos volátil.

Dotada de un potencial sin igual, la economía venezolana permanece, por el momento, frenada a causa de un proceso político singular en la región. A mediados de agosto de 2004, el país se despertó, la mañana siguiente a un referéndum, con la noticia de la victoria de Chávez por el 59% de los votos, contra el 41% que lograba la oposición. La comunidad internacional, con la Fundación Carter y la Organización de Estados Americanos (OEA) a la cabeza, se apresuraron a dar por válido un escrutinio muy cuestionado por la oposición. Sin embargo, más allá de los resultados, lo que llama la atención, desde el punto de vista político, es que a pesar de la fuerte polarización y politización de la sociedad venezolana, ésta sigue apostando por la democracia. Mientras Chávez y los suyos celebraban su victoria, *Latinobarómetro* publicaba los resultados de la encuesta de 2004. Según sus datos, el apoyo a la democracia en Venezuela se había convertido en el más alto de toda América Latina (justo por detrás de Uruguay), y el 74% de los venezolanos consideraban que la democracia era la forma de gobierno que preferían a cualquier otra. Asimismo, el 86% de ellos opinaban en 2004 que la democracia era el único sistema capaz de ayudar al desarrollo del país —todo un récord en América Latina—. La caja de Pandora abierta por Chávez no se ha vuelto a cerrar, desde luego, pero el país del Buen Revolucionario es también el del Buen Demócrata, el de una sociedad civil dotada de una extraordinaria vitalidad y comprometida en favor de la democracia. Nuestra apuesta es que lo seguirá siendo y que en 2006, año de las próximas elecciones presidenciales, o incluso más adelante, gobierno y oposición volverán a encontrarse ante las urnas para dirimir sus discrepancias en las cabinas de voto, y no en las calles.

Conclusión
El zorro, el erizo y el camaleón

"Seguramente, más vale no pretender calcular lo incalculable, no pretender que exista un punto de Arquímedes fuera del mundo a partir del cual todo es mensurable y modificable; más vale emplear en cada contexto los métodos que parecen convenirle mejor, aquellos que dan (pragmáticamente) el mejor resultado; resistir a las tentaciones de Procusto."

Isaiah Berlin.

En uno de sus más famosos ensayos, Isaiah Berlin proponía distinguir dos tipos ideales de espíritus humanos: los "erizos", aquellos que organizan su vida y su pensamiento en función de una sola y única visión central, monista, del mundo, y los "zorros" (plateados), aquellos que no cesan de multiplicar las pistas, persiguiendo varios fines a la vez, fuertemente contradictorios, bifurcándose aquí y allá, guiados siempre por una visión pluralista del mundo.

La gran transformación latinoamericana bien podría materializar este vuelco de los espíritus y de las vidas en un mundo más poblado de zorros que de erizos, en un mundo donde a las visiones monistas y monocromáticas sucedan visiones más pluralistas y abigarradas. Es probable que esa transformación sea transitoria, porque, como lo explica el filósofo inglés, el deseo ferviente de los zorros plateados consiste, muy a menudo, en alcanzar la visión monista. Y sin duda se trata de una transformación sólo parcial, pues innumerables zorros fingen haberse convertido en erizos cuando no han hecho otra cosa que falsear sus preferencias o cambiarlas, es decir, amalgamarlas. Pero esta transformación se impone y está en marcha de

OCAMPO, José Antonio. 2004. "Latin America's Growth and Equity Frustrations During Structural Reforms". En: *Journal of Economic Perspectives*, 18(2):67–88.

OLSON, Mancur. 2000. *Power and Prosperity: Outgrowing Communist and Capitalist Dictatorship*. Nueva York, Basic Books.

ORGANISATION FOR ECONOMIC CO-OPERATION AND DEVELOPMENT (OECD). 2005. *Brazil: OECD Economic Surveys*. Paris, OECD, octubre.

ORGANISATION FOR ECONOMIC CO-OPERATION AND DEVELOPMENT (OECD). 2003. *Chile: OECD Economic Survey*. París, OECD, noviembre.

PAZ, Octavio. 1990. *La otra voz. Poesía y fin de siglo*. Barcelona, Seix Barral.

PAZ, Octavio. 1972. "Critique de la pyramide". En: PAZ, Octavio. *Le labyrinthe de la solitude*. París, Gallimard, pp. 228–254.

PAZ, Octavio. 1970. *Posdata*. México DF, Siglo XXI.

PAZ, Octavio. 1950. *El laberinto de la soledad*. México DF, Cuadernos Americanos; segunda edición, Fondo de Cultura Económica, 1959.

POCOCK, J. G. A. 1975. *The Machiavellian Moment. Florentine Political Thought and the Atlantic Republican Tradition*. Princeton y Londres, Princeton University Press.

POCOCK, J. G. A. 1971. *Politics, Language and Time: Essays in Political Thought and History*. Nueva York, Atheneum.

PONZIO, Carlos. 2004. "Political Instability and Economic Growth in Post-Independent Mexico", Harvard University, Department of Economics (sin publicar).

POPPER, Karl. 1971. *Open Societies and its Enemies*, Princeton, Princeton University Press.

PRZEWORSKI, Adam. 2004. "Some Historical, Theoretical, and Methodological Issues in Identifying Effects of Political Institutions". New York University, Department of Politics, septiembre (sin publicar).

PRZEWORSKI, Adam. 2004. "The Last Instance: Are Institutions a Deeper Cause of Economic Development?". En: *European Archives of Sociology*, agosto, 45(2):165–188.

PRZEWORSKI, Adam. 2004. "Economic Development and Transitions to Democracy". New York University, Department of Politics, marzo (sin publicar).

PRZEWORSKI, Adam *et al.* (Eds.). 2003. *Democracy, Accountability and Representation*. Cambridge, Mass., Cambridge University Press.

PRZEWORSKI, Adam *et al.* 2000. *Democracy and Development. Political Institutions and Well-Being in the World, 1950–1990*. Cambridge, Mass., Cambridge University Press.

Przeworski, Adam. 1991. *Democracy and the Market. Political and Economic Reforms in Eastern Europe and Latin America*. Cambridge, Mass., Cambridge University Press.

Ramírez, Mari Carmen. 2004. *Inverted Utopias: Avant-Garde Art in Latin America*. New Haven, Yale University Press.

Rangel, Carlos. 1982. *Del Buen Salvaje al Buen Revolucionario*. Caracas, Monte Ávila Editores.

Reinhart, Carmen y Kenneth Rogoff. 2004. "Serial Default and the Paradox of Rich to Poor Capital Flows". En: *American Economic Review*, 94(2):53–58.

Reinhart, Carmen, Kenneth Rogoff y Miguel Savastano. 2003. "Debt Intolerance". En: *Brookings Papers on Economic Activity*, 1:1–74.

Remmer, Karen. 2003. "Elections and Economics in Latin America". En: Roett, Riordan y Carol Wise (Eds.). *Post Stabilization Politics in Latin America*. Washington DC, Brookings Institution, pp. 31–55.

Rigobón, Roberto y Dani Rodrik. 2004. "Rule of Law, Democracy, Openness, and Income: Estimating the Interrelations". En: NBER, Documento de trabajo No. 10750.

Rigobón, Roberto. 2002. "The Course of Non-Investment Grade Countries". En: *Journal of Development Economics*, 69(2):423–449.

Rodrik, Dani y Romain Wacziarg. 2005. "Do Democratic Transitions Produce Bad Economic Outcomes?". En: *American Economic Review, Papers and Proceedings*. Disponible: http://ksghome.harvard.edu/~drodrik/papers.html.

Rodrik, Dani y Murat Iyigun. 2005. "On the Efficacy of Reforms: Policy Tinkering, Institutional Change, and Entrepreneurship". En Eicher, T. y C. G. Peñalosa (Eds.). *Institutions and Growth*. Cambridge, Mass., MIT Press.

Rodrik, Dani. 2004. "Industrial Policy for the Twentieth-First Century". Harvard University, John Kennedy School of Government (sin publicar).

Rodrik, Dani. 2003. *In Search of Prosperity*. Princeton, Princeton University Press.

Roett, Riordan (Ed.). 1996. *The Mexican Peso Crisis*. Boulder, Colo., Lynne Rienner.

Rorty, Richard. 1995. *L'espoir au lieu du savoir. Introduction au pragmatisme*. París, Albin Michel.

Sachs, Jeffrey, Aaron Tornell y Andrés Velasco. 1996. "The Mexican Peso Crisis: Sudden Death or Death Foretold". En: *Journal of International Economics*, 41:265–283.

Esta obra se terminó de imprimir en noviembre de 2006
en Litográfica Ingramex, S.A. de C.V.
Centeno 162-1, Col. Granjas Esmeralda
México, D.F.